Einaudi Stile libero Noir

Dello stesso autore nel catalogo Einaudi

Teneri assassini
Romanzo criminale

Giancarlo De Cataldo

Nero come il cuore

Einaudi

Questo libro è stato stampato su carta ecosostenibile CyclusOffset,
prodotta dalla cartiera danese Dalum Papir A/S con fibre riciclate
e sbiancate senza uso di cloro.

Per maggiori informazioni: www.greenpeace.it/scrittori

www.einaudi.it

ISBN 88-06-17232-8

Nero come il cuore

The Devil, I safely can aver,
has neither hoof, nor tail, nor sting:
nor is he, as some sages swear,
a spirit, neither here nor there,
in nothing – yet in every thing.
He is – what we are.

(Il diavolo, posso dire con certezza,
non ha né zoccoli, né coda, né aculeo:
non è, come certi saggi giurano,
uno spirito, né di qua, né di là,
non sta in nulla – eppure è in ogni cosa.
Lui è – ciò che noi siamo).

PERCY BYSSHE SHELLEY, *Peter Bell the Third*.

Personaggi principali.

VALENTINO BRUIO, avvocato
GIOVANNA ALGA-CROCE, giovane ereditiera
NOÈ ALGA-CROCE, padre di Giovanna
RODNEY VINCENT WINSTON, proprietario del *Sun City*
GIACOMO DEL COLLE, commissario di polizia
ENRICO TESTI, detto «Zaphod», hacker, amico di Valentino Bruio
MARIO POGGI, medico, fidanzato di Giovanna Alga-Croce

1.

Un nero che puzzava di vino, parlava un dialetto incomprensibile e tormentava la sua T-shirt gialla, lacera, macchiata di sudore. Il primo cliente da una settimana. E io non avevo nessuna voglia di occuparmi per l'ennesima volta dell'ennesimo sfigato di colore. Ero troppo stanco, deluso, annoiato.

Rianimai l'ectoplasma di un ventilatore Phonola classe '62, strategicamente disposto in cima a un castello di annate del «Foro Italiano». Il flebile ronzio non riusciva a destare dal coma irreversibile le cataste di cambiali protestate che mi davano da vivere. Avanguardie di ragni prendevano d'assalto la mia poltroncina. La testa poggiata su un braccio, il nero pareva sul punto di esplodere in una crisi di pianto.

– *Al,* – sospirò infine. – *Call me Al...*

– Bene, Al. Come si chiama tuo figlio? Secondo te, che cosa gli è successo?

Scosse la testa. Grosse lacrime appannavano i suoi languidi occhi. Sapeva del fango di mille sconfitte. Amare sconfitte. Si alzò lentamente, la testa incassata tra le spalle. Cercai di fargli capire che non potevo fare molto per lui. Non rintracciare suo figlio in una grande città di quattro milioni di abitanti. Non senza una foto. Non senza l'aiuto della polizia.

– Tu non può credere... nessuno crede...

C'era disperazione nel suo sguardo. E il suo silenzio. Il suo ostinato silenzio.

– Ma che cosa devo credere? Come posso aiutarti se non ti capisco?

Ma lui era già sulla porta. Si voltò, come colto da un ripensamento. Mi fissò con occhi ora asciutti.

– Tu troppo occupato, – rantolò, prima di scomparire.

Occupato! I miei impegni professionali! Da tre settimane non passavo a trovare la mamma. Ero in arretrato di trecento pagine con *Lolita*. Le mie riserve alimentari constavano di due dozzine di birre e quattro pesche transgeniche. Possedevo due biglietti per il concerto del Sud Sound System al Mattatoio, ma non avevo nessuno con cui andarci, perché Vittoria era a Terracina per un week-end sole&sesso con il suo amico oculista. Dal vecchio giradischi Lemco David Byrne m'informava che il Paradiso è un bar dove non accade mai nulla, e la convocazione perentoria del Consiglio dell'Ordine preannunciava che, con ogni probabilità, di lí a una decina di giorni non sarei nemmeno piú stato l'avvocato Valentino Bruio, ma un disoccupato interdetto.

Donna Vincenza, la portiera, salí ad accertarsi che l'Uomo Nero non avesse fatto danni. Al, o come diavolo si chiamava, poteva essere il mio ultimo cliente. E l'avevo lasciato andare via, con la sua disperazione e un figlio scomparso del quale non avevo intenzione di curarmi. Feci un po' di zapping, con l'unico risultato di sprofondare a capofitto in un lago di abulia e di sonnolenza: troppo tardi per un'onesta fiction all'italiana, troppo presto per le messaggerie pomo.

Presi dignitoso congedo da un altro giorno inutile tra le pagine di un classico Camilleri. L'ultimo pensiero fu per il nero: se era davvero cosí disperato, si sarebbe fatto vivo.

2.

Il giorno seguente c'erano 36 gradi all'ombra e l'igrometro attestava un'umidità atmosferica del sessantotto per cento.

Alle tre del pomeriggio mi trovavo alla fine della via Appia. Sullo sfondo di un cielo senza contrasti si stagliavano maestosi i famigerati pini. La loro austera nobiltà acuiva il senso di nausea provocato dal colorito epatico delle villette del Quarto Miglio.

Al *Bar dello Sport* servivano un cappuccino ignobile, pingue di colesterolo come il banconista dalla bisunta parannanza, impegnato in una muta querelle con un avventore avvinazzato.

Feci una telefonata dal mio vecchio telefonino Nec, ormai un pezzo di modernariato. L'avvinazzato mi fissava inebetito. C'era da perdersi nel lento torpore dei suoi occhietti rossi e acquosi. Al quarto squillo rispose una voce femminile.

– Bisogna prenderli nel sonno, – dissi.

– Pronto? Ma chi è? Chi parla?

Pigiai il pulsante rosso e la conversazione s'interruppe sul nascere. L'ubriaco levò piano il calice colmo di vino liquoroso e intonò una roca *Marsigliese* intessuta di strascicamenti e sputi. Pagai la sua parte e mi avviai alla mia misera missione.

Il civico 40 era incastonato tra un muricciolo e una profumeria. Su ogni superficie disponibile i tifosi della Lazio auguravano ai romanisti la Tbc, e quelli ricambiavano auspicando per gli storici rivali un'epidemia di Aids. Il signor Calderai aveva acquistato una camera da letto matrimoniale e un'intera cucina componibile in formica, anticipando al mobilificio *Plu* di Civita Castellana cambiali che non sarebbero mai state onorate. Il mobiliere era tutto sommato una persona perbene: altri, invece che all'avvocato, per il recupero crediti si rivolgevano direttamente a squadrette di slavi decisi. Quanto a me, lucravo un abbondante venticinque per cento, escluse le spese. Tre mesi per rintracciare il moroso. Un caso disperato. E ora, l'afa del pomeriggio mi avrebbe garantito quella rilassatezza psicologica indispensabile per esercitare gli antichi mestieri di assassino e di avvocato di basso rango. La telefonata era stata un atto di cortesia: non mi piace sparare alle spalle.

Bussai a una porta blindata. Sulla targhetta c'era scritto STUDIO PROFESSIONALE.

Entrai deciso, ignorando la donna stanca, minuta, in vestaglia rosa. Alle pareti di una specie di modesta saletta d'attesa troneggiavano negligentemente stampe con scene di caccia alla volpe. Sotto una libreria deserta, un divanetto coperto da un lenzuolo e una rivista, «Novella 3000» o forse «Tv Sorrisi e Canzoni», in corrispondenza del segno lasciato da una presenza umana.

Fu arduo far intendere alla signora Calderai che i brutti mobili che allietavano la sua dimora andavano anche pagati, prima o poi. Lei si appellò alle malattie dei bambini e a un recente fallimento del marito, io rilanciai con una discreta allusione al reato di appropriazione indebita e alla fine qualche spicciolo rientrò all'ovile e fui libero di andarmene, inseguito da un autentico vudú di occhiatacce.

Mentre guidavo l'Honda Concerto classe '90 lungo i tornanti della Tangenziale Est, intrappolato in un fiume limaccioso e cianotico di metalli, crebbero il malumore, la disillusione, l'acredine.

Dormii nel mio letto, un sonno comatoso che durò sino a quando un tramonto acidulo invase il cielo di cobalto che s'intravedeva di là dal cortile di via Casilina 333. Il complesso Prattico, che si onora di accogliermi tra i suoi inquilini, si preparava per i riti vespertini.

Donna Vincenza urlava per recuperare i figli, due precoci serial killer sicuramente impegnati a taggare di vernici azzurre i portoni del circondario. I clienti di Vanessa, la squillo del terzo piano, scivolavano discreti e imbarazzati lungo le pareti. Da cento televisori accesi su cento solitudini domestiche filtravano le domande dei quiz da cento milioni.

L'ordine regnava sul mio piccolo mondo. Ero affezionato al complesso Prattico, otto piani per quattro palazzine anonime custodite da donna Vincenza. Papà ci aveva investito l'intera liquidazione, in quegli ottantasei metri quadrati di casa-studio. Con l'augurio di piantarla con i sogni e di occuparmi maggiormente del precario stato delle mie finanze. I disturbi vascolari gli avevano risparmiato un brillante *cursus honorum* culminato nel procedimento disciplinare davanti al Consiglio dell'Ordine.

Telefonò la mamma.

Non avevano ancora rubato lí da lei, ma i ladri, sicuramente zingari e albanesi, erano sul piede di guerra. Colpa del governo, s'intende, e dei giudici, che non sapevano piú usare la mano pesante. C'era una cantante che le piaceva tanto, una certa «La Madonna»; mi ricordassi di portarle un suo disco, qualora mi fossi degnato di farle visita prima dell'inevitabile *obitus*. Infine mi comunicò di aver acquistato un delizioso abitino blu, a pois bianchi, da *Ritzino*, un negozio elegante, «moderno», specializzato in *preppies*: era stata invitata a cena dal vedovo Vignanelli, una persona tanto perbene e cosí sfortunata!

Cercai rifugio nel web. Ci trovai un'e-mail non ancora aperta. Lessi. Per 79 900 lire l'organizzazione di vendita in Rete *Plaid* offriva una gita al Santuario di Padre Pio in San Giovanni Rotondo con colazione al sacco e una coperta in omaggio. Pensai alle centinaia di persone sole che avrebbero trascorso la domenica al Santuario, amorevolmente assistite dai propagandisti dell'e-commerce. Pensai alle migliaia di persone sole che non avrebbero trovato il coraggio di rispondere all'inserzione. Quando mi scoprii a pensare a tutte le persone sole al mondo, decisi che l'unica possibilità era il *Sun City*.

3.

Orrore nel Nordest: uccisi a coltellate una donna e suo figlio dodicenne. La figlia sopravvissuta, unica testimone, accusa del massacro due individui che parlavano con accento slavo. Un esponente della Destra: gli slavi, gente geneticamente criminale. Il sindaco indice una marcia contro l'immigrazione clandestina. Il vescovo denuncia il pericolo islamico. Il governo assicura un ulteriore giro di vite contro l'immigrazione clandestina.

– L'Uomo Nero fa paura, – sospirai, rendendo il giornale a Rod. – Sai la novità!

– Non lí, devi guardare nelle pagine interne.

Allarme crescita zero. Tramontata l'èra del *baby boom*, l'Italia diventa sempre piú un Paese di vecchi. Aumentano i prezzi delle abitazioni nei centri storici delle grandi città. Nasdaq e Dow Jones: cronaca di una crisi annunciata. Margherita Dalla Piazza, manager emergente del terzo settore, si racconta: io, imprenditrice ma soprattutto mamma. La *maison* Armani inaugura un nuovo negozio sulla Quinta Strada di New York. Trionfo di Prada all'expo-moda di Vancouver. Piccoli consigli da una maestra d'eccezione: Michelle Hunziker vi spiega come conservare a lungo una linea perfetta e un seno da urlo.

– Basta, Rod, ti prego, lo sai che certe letture mi deprimono!

Ma Rodney Vincent Winston, quella sera, non era in vena. La stessa atmosfera del *Sun City* mi parve cupa, improvvisamente estranea. Contemplai gli sporchi tavolini appena rischiarati da candele agonizzanti in lugubri teche di vetro. E la pedana sbreccata su cui s'alternavano stancamente impettiti ballerini e musicanti ebbri. E il bancone seminascosto da una montagna di bottiglie di rum e acquavite dietro cui s'intuivano la piccola cucina e il retrobottega, regno di amori mercenari di immigrati piú o meno regolari, di rivoluzionari senza patria stanchi di complottare contro generali cannibali e imperatori liberticidi, di liceali in *kaffiah* che s'affacciavano sbigottiti e dopo aver lanciato un'occhiata distratta al mondo concreto della Roma nera correvano a rifugiarsi nel vicino centro sociale dove, a forza di canne, si sforzavano di penetrare i misteri del pensiero del subcomandante Marcos.

– Valentino, se neanche tu li vedi, i ragazzi sono proprio invisibili, – mormorò Rod.

Seguii l'immaginaria linea che il suo lungo dito nero tracciava nervosamente sul quotidiano.

– Festa d'inaugurazione del *Tripla Follia*, il nuovo locale in Trastevere... Notati tra il folto pubblico la drag-queen Platinette e l'onorevole Vittorio Sgarbi, che hanno improvvisato un tango...

– Piú sotto, fratello, piú sotto, – sibilò, spazientito. E finalmente la vidi. Un'inespressiva macchia bianca attorniata dalla sporca grana di un'indistinta macchia nera. Con macabro senso dell'umorismo, si raccontava in venti righe l'oscura fine del trentaduenne cittadino sudafricano Anawaspoto Ray, rinvenuto cadavere poco prima dell'alba in via Goito, nei pressi della stazione Termini, «zona che, nonostante i lodevoli sforzi dell'Amministrazione capitolina, resta una sorta di porto franco per l'immigrazione clandestina». Causa del decesso: un colpo d'arma da fuoco. Scorsi in fretta le scarne note: gli inquirenti ipotizzavano un regolamento di conti all'interno della comunità africana, notoriamente in prima linea nel traffico di stupefacenti. In una pagina ancora piú interna, un altro redattore si era sbizzarrito in un velenoso commento che poteva riassumersi in due proposizioni elementari: «Negri, ne abbiamo le palle piene, andate a sbudellarvi a casa vostra». E dire che un tempo quel giornale era stato l'organo semiufficiale della borghesia illuminata. Ma tant'è: o la borghesia era cambiata, o qualcuno aveva spento la luce.

– Mi dispiace, Rod...

– Non è il primo e non sarà l'ultimo, Valentino.

– Lo conoscevi?

– Amico, tutti i neri di questa grande cloaca prima o poi approdano al *Sun City*. Chissà quante volte l'hai visto anche tu.

– Non me lo ricordo, fratello.

– Perché qui è buio.

– Parlami di lui.

– Lo chiamavamo Al... un nome come un altro... era nato in un posto dove è difficile mantenersi uomini. Veniva a cercare fortuna, come tutti...

– Spacciava?

– Non so, non credo. Aveva perso il lavoro, ma non era rimasto a secco. Beveva, però. Era triste... beveva e piangeva. Una sera, da quant'era ubriaco, ho dovuto sbatterlo fuori. Povero Al. E quel nome che invocava, come un'ossessione...

– Che nome?

– Barney, – disse Rod con un gesto vago. – Un bambino. Barney. Suo figlio, credo. Una volta mi ha mostrato una foto. Un cucciolo ricciuto, con grandi occhi ridenti... un bellissimo piccolo nero, Val. Dovevi vederla, quella foto. Era di quando vivevano a Ladispoli... un posto pieno di palme e di vento. Sembrava Nairobi...

– Descrivimelo.

– Uno come tanti. Alto, magro; ultimamente portava sempre una lurida maglietta gialla. Ma non era un cattivo ragazzo.

Quel nome... «Call me Al» aveva detto... Era lui. Cristo santo, se era lui! Se non fossi stato cosí pigro, cosí deluso... lui aveva cercato me, dovevano avergli parlato di me al *Sun City*. Frasi incerte, era ubriaco, il suo italiano stentato... Per me era uno dei tanti neri invisibili... uno che stavano per ammazzare...

– È una brutta storia, – riprese Rod. – Oggi abbiamo avuto una perquisizione... c'era il tuo amico Castello...

– Che cosa cercavano?

Sorrise amaro.

– Tutto e niente. Un negro morto è solo una seccatura in piú.

Abbassai lo sguardo. Era stata poi tanto diversa la mia indifferenza per Al?

– Che strana gente siete, fratello! Qui vengono un sacco di italiani poveri, eppure potete permettervi di importare gli schiavi.

La foto sul giornale faceva male al cuore. Tutto ciò che restava di una vita difficile in una città dall'altra parte del mondo era una macchia bianca circondata da una confusa massa nera.

– Mi dispiace, Rod. Sai come la penso.

Rod accese uno spinello.

– Pensare? Non basta piú pensare, amico, si deve agire! Non possiamo lasciare che ci ammazzino come cani.

Era eccitato, inferocito. L'odore dolciastro dell'erba mi faceva venir voglia di starnutire.

– C'è stata una riunione, qui, dopo che il tuo amico Castello è andato via. I ragazzi sono esasperati. Vogliono fare ronde armate. Girare di notte. Difendersi...

– Mi pare una cazzata.

Rod si rilassò. I suoi occhi brillavano di soddisfazione.

– Sí, certo, è una cazzata. Ma i fratelli sono tesi. I fratelli si chiedono: perché se ammazzano un bianco la polizia fa fuoco e fiamme e se ammazzano uno di noi il caso è archiviato in due giorni?

– Non è detto, Rod; io...

– Non fare l'avvocato bianco con me, Valentino. Comunque, sono riuscito a calmare le acque. Ma a una condizione...

– Sarebbe?

– Tu.

– Io?

– Tu. Indagherai sulla morte di Al. Regolamento di conti. Droga. La droga è roba da nigeriani e maghrebini. La nostra comunità è pulita. Al era pulito. Garantisco personalmente, fratello. Al era il nero piú inoffensivo del mondo. E con regolare permesso di soggiorno. Vai alla polizia. Mordigli il culo. Sei un bianco. Sei uno di loro. Trova l'assassino di Al. Sei un bianco, ma sei anche uno di noi!

Posai una mano sul suo muscoloso braccio nero.

– Rod, – sussurrai, incapace di guardarlo in faccia. – Lui era venuto a cercarmi, e io l'ho mandato via...

–Tu?

– Sí, io. Sono un bianco stanco, Rodney. Sto per perdere il lavoro. Non ho una lira. Sono un completo fallimento. Ecco quello che sono...

Rod mi scosse con furia.

– Stronzate! Hai solo un motivo in piú per dirmi di

sí. Pensa ad Al... lui aveva fiducia in te... tutti noi crediamo in te. I fratelli hanno fatto una colletta. Ci sono tre milioni per le prime spese. Avrai tutto quello che ti serve: uomini, aiuti... non sarai mai solo, non dovrai preoccuparti di niente...

– Non posso farlo, Rod!

– Ma perché, in nome di Dio?

Perché? C'era una musica straziante di *khora* nell'aria, e avevo un sasso duro dentro il cuore. Ripensavo alle serate trascorse tra gli sporchi tavolini bui di quel sottoscala di piazza Vittorio. In mezzo a loro, a gente come Al che non ero stato capace di capire, che non sarei mai stato capace di capire sino in fondo. Le loro voci roche e calde, lo *zighiní,* il succo di mango, la mia Africa di cumino, il mio studio pieno degli splendori e miserie delle mille periferie di Roma. Ma quell'odore non era il mio odore. Mi stavano chiedendo di diventare uno di loro... uno di loro! Rodney Vincent Winston, ex combattente per la libertà del Sudafrica, mi stava offrendo una causa in cui identificarmi. Ma io non volevo nessuna causa. Il suono stesso della parola mi riempiva di sgomento.

Rod sembrava in trance, un'immobilità di tramonto con un impercettibile tremolio delle ciglia a indicare che c'era ancora della vita sotto il nero, folto cespuglio dei capelli crespi. Dovevo qualcosa a tutti loro. Saleh depositò con un gemito la *khora*. Maryia si destò languidamente dal suo sonno lunare. Tequif chiese a voce alta una birra.

Eccoli qua, gli stranieri che ossessionano le notti del mio ricco e spensierato Paese. Eccoli qua, i negri. I negri che puzzano e portano le cattive malattie. I negri che non sono pronti per la democrazia. I negri che sono buoni solo a cantare, ballare e suonare la tromba. I negri che ci tolgono le donne e il lavoro. I negri che corrono veloci e sanno fare bene a pugni. I negri che hanno un senso del ritmo che si vede che sono negri. I negri che scopano da Dio perché ce l'hanno grosso. I negri che hanno tutto da imparare perché da soli non sanno cavarsela...

– Rodney, brutto negro bastardo, hai vinto!

Rientrai a notte fonda, mezzo ubriaco. Nel cortile condominiale del complesso Prattico m'imbattei in Vanessa, di ritorno da una notte brava. A giudicare dalle occhiaie afflitte, non doveva essersi trattato di un'esperienza memorabile. Cercai di confortarla dicendole che prima o poi la vita offre a tutti la grande occasione.

– Dice, avvoca'? Ma io ce l'ho già la grande occasione. M'hanno offerto una parte in *Angeli del godimento*... Che faccio? Accetto?

Meglio lasciar perdere. Per conciliare il sonno, lessi l'editoriale del quotidiano della fu borghesia illuminata. L'estensore, che doveva farsi perdonare dai nuovi padroni un passato in eskimo e Clark, sposava le tesi di quegli storici secondo i quali Auschwitz rappresentava l'estremo baluardo dell'Occidente ariano contro l'invasione cosacca.

Ero felice di non dovermi vergognare del mio presente.

4.

E venne la domenica. Il Giorno del Signore delle Pulizie. Alle otto in punto la porta fu scardinata da un'ossessa carica di scope, secchi, stracci, barattoli, grembiuli e dell'immancabile aspirapolvere elettrico dal fastidiosissimo ronzio. Donna Vincenza mi scaraventò giú dal letto, poi, del tutto indifferente alle mie nudità, mi spedí al confino nella stanza da bagno.

– E non si faccia vedere prima di mezz'ora! Lo sa che non tollero stampe sul pavimento lavato!

In capo a un'ora il mio studio aveva cambiato radicalmente aspetto. La scrivania luccicava, il Pc sembrava davvero l'ultimo parto di una raffinata tecnologia e non il frutto di una svendita aziendale, le riviste giuridiche e i romanzi erano ordinatamente allineati in modo da rendere impossibile ogni razionale ricerca. Ai quattro angoli di ogni ambiente brillavano compatte montagnole di polvere grigiastra.

– Sterminatòr, – proclamò orgogliosa la vestale del tuttolindo, – la soluzione finale al problema di acari e insetti domestici!

Cercai di spiegarle che non m'interessava tanto la distruzione dell'intera genia degli aracnidi, quanto un onorevole armistizio che approdasse a una pacifica convivenza.

– Evitiamo di inasprire la contesa, Vincenza. Impariamo a rispettare l'avversario...

La portiera si abbandonò sul divano in similpelle rossa che Rod mi aveva aiutato a portare a spalla dal mercatino di Porta Portese.

– Con voi è tutto inutile, avvocato. L'ho detto anche a Nina. È tutto inutile.

– Come sta Nina?

– Sospira. E se solo voi diceste una parola...

– L'ho detta la parola: no!

– Siete senza cuore.

– Esatto.

– E morirete da solo!

Vincenza trovava incomprensibile il mio *status* di single. O, come diceva lei, «scapolo signorino». Il fatto di avermi sorpreso un paio di mattine in compagnia di prede occasionali l'aveva rassicurata sulla regolarità dei miei gusti. Poteva tollerare la sporcizia, il disordine, la stravaganza e gli schiamazzi notturni, ma non la mia ostinazione nel rifiutare matrimonio, figli, famiglia.

– E noi donne che ci stiamo a fare?

In media, mi offriva una pretendente o due al mese. Nina era l'ultima delle sue protette. Diplomata, grande cuoca, perché «i mariti si conquistano a letto ma si conservano solo a tavola»: che cosa potevo chiedere di meglio?

– Magari l'amore, Vince'? Il grande amore?

– L'amore, l'amore! State facendo i capelli bianchi e ancora pensate all'amore.

Mi vestii con cura, annodando una delle rare cravatte non bruciacchiate di sigaro. Mi preparavo per i poliziotti, che amano le immagini rassicuranti, per attenuare l'istintiva diffidenza che sono portati a provare nei confronti dell'intero genere umano.

– Prima che uscite, avvoca'...

Piombai a sedere con una smorfia di rassegnazione.

– Che ha combinato, stavolta?

Tutti abbiamo un nemico del cuore: dal Signore di Ballantrae a Paolino Paperino. L'Anacleto Mitraglia di donna Vincenza si chiamava Carmen. Capelli biondo ossigenato, un metro e sessanta, settantacinque chili mal distribuiti, botteguccia sudicia nel cuore dello storico quartiere del Pigneto, popolato un tempo da gente di coltello e ora testimonial di uno dei tanti miracoli di abbellimento dell'èra Rutelli. Fosse dipeso da Vincenza, Carmen l'avrebbero giustiziata a tortorate sulla pubblica piazza. Nelle fasi acute del conflitto, il mio intervento si era limitato a una compresa e partecipe audizione dei resoconti delle nefandezze della pizzicagnola e alla promessa di citazioni in giudizio che mi guardavo bene dal redigere. Avevo anche cercato di spiegare a Vincenza che la pena di morte non è una soluzione eticamente condivisibile. Ma lei era piú testarda di un grande elettore dei presidenti Bush padre&figlio.

– L'ho vista, avvoca', ve lo giuro! Quella leva le etichette scadute della maionese e ci mette quelle fresche dello yogurt. E aggiunge acqua di rubinetto alla Ferrarelle!

– E la Ferrarelle dove va a finire?

– Nella candeggina, è chiaro!

– Terribile!

Insensibile all'ironia, Vincenza scosse la sua bella testa bianca segnata dal tempo e dalle angosce di una prematura vedovanza.

– Ma che figura ci facciamo con il resto dell'Europa?

Sgranai tanto d'occhi.

– Si può sapere che c'entra Carmen con il resto dell'Europa?

– C'entra, c'entra, avvocato! Metti che vengono i tedeschi, vanno da quella zozza e lei gli vende il latte guasto e l'acqua sporca: che figura ci facciamo? Ora che l'Italia ha un nuovo governo ci dobbiamo preoccupare dell'immagine nazionale. L'ha detto pure Bruno Vespa.

Alzai le braccia, vinto. Se l'ha detto Bruno Vespa... Prima di uscire osservai un minuto di raccoglimento alla memoria della prima vittima di Sterminatòr. Il mio ultimo, preziosissimo Cohiba, residua vestigia d'una vivace serata allo stand cubano del festival di Rifondazione comunista. Nel suo furore igienico, Vincenza l'aveva disperatamente, definitivamente irrorato di veleno.

La domenica le strade di Roma senza traffico sono uno spettacolo conturbante di bellezza e di serenità. Passai da mamma, con una mezza idea di scroccare un invito a pranzo, disposto a sorbirmi il resoconto della serata galante con l'amico vedovo. Non era in casa. In compenso, c'era un biglietto attaccato con lo scotch alla porta: «Sono al Santuario di Padre Pio con il ragioniere. Potevi venirci anche tu, miscredente. Al disco della Madonna ci penserà lui, che non è crudele come te. Baci. Mamma».

Ancora incerto se prenderla sul ridere o mettermi a piangere, affrontai le scale del commissariato. Giovani agenti in tenuta da discoteca si scambiavano battutine a sfondo sessuale; agili agenti in gonnella telefonavano disposizioni per il pranzo domenicale. Niente che rimandasse alla classica iconografia della questura. Nessuna sporcizia, niente ragnatele né odore di rancido. Nel complesso, un luogo assolato, ben tenuto, ricco di piante e di civiltà.

Tutto sembrava essere stato ideato all'insegna della polizia-al-servizio-del-cittadino. Tutto, meno il mio vecchio amico sovrintendente Pellegrino Castello, alias Rino-mano-di-piombo.

L'avevano confinato in un bugigattolo occupato quasi per intero da una scrivania unta di grassi e di liquidi dalla natura indefinibile. Alle sue spalle campeggiavano: fotocolor che immortalava la consegna a Zinedine Zidane del trofeo Chevron 1998 quale miglior calciatore del mondo; giacca con ascelle alonate da triplo strato di sudore, appesa a un gancio da macellaio; calendario dei Carabinieri disseminato di scritte inneggianti alla Juventus; una macchia di sangue antico che nessuno, per nessun motivo, avrebbe potuto lavare via.

Quella macchia era la testimonianza di un fallito tentativo di riconciliazione tra Castello e l'ex moglie. L'avevo difesa, ero persino riuscito a strappargliela dalle mani ancora in vita. Rino non me l'aveva perdonata.

In fondo, in quel suo quasi patetico richiamarsi al tipo del vecchio poliziotto da strada, era un uomo di poche e semplici idee. In venticinque anni di carriera, soleva affermare, non gli era ancora capitato di imbattersi né in un innocente, né in una persona onesta. Delinquenti si nasce, è una questione cromosomica, diceva, e anche se non si commettono reati, le intenzioni sono da sole piú che sufficienti. Il mantenimento di un criminale condannato costa allo Stato, ogni giorno, piú di mezzo stipendio di un anziano tutore dell'ordine: con poche centinaia di lire, il prezzo di una buona pallottola, il problema potrebbe essere risolto in radice. E via dicendo.

Sedetti, inalberando un sorriso disarmante, e accesi un mezzo toscano. Sapevo che detestava l'odore del sigaro. D'altronde, io detestavo le sue sigarette, quindi eravamo pari. Prima o poi la furia sarebbe esplosa, ma per il momento la sua faccia rincagnata e giallognola non esprimeva altro che un sottile disgusto. Gli avevano evidentemente piazzato sotto il naso un vaso pieno di materia immonda. Ero io, quel vaso.

– Come stai, Rino?

Ruttò, come si conviene a un vero uomo, e scaraventò per terra, con una violenta manata, una copia ancora intonsa della *Costituzione della Repubblica italiana*.

– Be', altri lo fanno con piú stile, – osservai. – Ma il risultato non cambia...

– Dice che dobbiamo studiare, – grugní, indignato.

– Fammi sapere quando iniziate, cosí ti regalo un bel grembiulino...

Rino se la cavò con un ghigno maldestro e finse di essere irresistibilmente attratto da una lama di luce e pulviscolo che penetrava dalla finestra sbarrata. Aveva una gran voglia di sbattermi al muro, ma riuscí a contenersi. O le sue capacità di autocontrollo si erano affinate, o gli avevano ordinato di non creare guai. Oppure, piú semplicemente, si era stancato del solito, vecchio gioco delle parti.

– Sei tu che ti occupi di quel nero che hanno ammazzato a via Goito?

– No comment.

– Andiamo, Rino, non sono mica un giornalista! Cerco solo di saperne di piú su questo caso.

Nei suoi occhi brillò un lampo maligno.

– Caso? Di quale caso stai parlando? Non c'è nessun caso. Probabilmente è un regolamento di conti fra trafficanti di eroina... o un'estorsione andata buca. Oppure quel tipo s'è scopato la donna sbagliata. Magari s'è suicidato. Sí. Suicidio. Perché no? Certo che ti sei ridotto proprio male, Bruio! Te la fai coi negri, adesso?

– Aveva un indirizzo, qui a Roma?

– Segreto istruttorio.

– Su, Rino, il mio cliente mi ha incaricato...

– Cliente? Hai ancora clienti? Be', sbrigati a risolvere il caso, allora, perché mi sa che tra una decina di giorni...

Come facevano presto a girare le voci! Persino Castello sapeva che rischiavo di dover cambiare i biglietti da visita: ex avvocato Valentino Bruio, ci avrei dovuto scrivere. Fortuna che non ho mai posseduto un biglietto da visita. Comunque, la cosa era seria. Serissima, anzi. Pendeva sul mio capo un calunnioso esposto del celebre penalista Ponce del Canavè. Un collega potente, temuto, riverito. Contro di lui non avevo chance. I babbioni imbalsamati del Consiglio dell'Ordine non gli avrebbero dato torto per tutto l'oro del mondo. Perdipiú, ero in ritardo di un paio d'anni con le quote della Cassa avvocati. Quindi, Castello non mi avrebbe dato soddisfazione. Nell'alzarmi, decisi di prendermi una piccola vendetta.

– Sai chi ho incontrato l'altro giorno? Tua moglie.

I suoi occhi si fecero sospettosi.

– Mi ha detto di salutarti, – proseguii, imperterrito. – Senza rancore. Ah, un'altra cosa... c'era uno con lei, un ragazzo... una persona gentile, educata, uno di quelli che sanno tenere le mani a posto. Un bel salto di qualità, non credi?

Questo era troppo per Rino. La bestia che conviveva con lui dalla nascita prese il sopravvento. Scattò, le mani protese verso la mia gola. Mi scansai di quel tanto che bastava per offrire alla sua rabbia il sigaro. Lo sbriciolò, ustionandosi con la brace. Le sue urla crebbero d'intensità.

– Sei un bastardo! Sei venuto per provocare, eh? Se vedi un'altra volta quella lurida puttana, dille che per conto mio può andarsene...

La porta alle mie spalle girò delicatamente sui cardini. Castello ammutolí, cercò invano di ricomporsi, si lasciò cadere sulla sedia bofonchiando confuse giustificazioni.

Mi voltai lentamente. Il giovane alto, elegantemente vestito, di un pallore innaturale, si presentò come commissario Giacomo Del Colle e m'invitò a seguirlo nel suo ufficio. L'andatura incerta, come intimidita, il sorriso mesto, era il tipico funzionario della nuova generazione, sfornato dalla Scuola superiore di pubblica amministrazione, allevato nel culto dei codici e della legalità formale. Tutto ciò che Castello odiava con tutte le sue forze. Forse era stato proprio lui a imporgli di mandare a mente la Costituzione. Quanto a me, ero neutrale: dai poliziotti mi aspettavo solo grane. Avrei capito presto che mi sbagliavo.

La sua stanza era ariosa, sobria, solare. C'erano piante, due o tre copie del «manifesto» e del «Corriere della Sera»; negligentemente posato su una poltroncina di pelle, *La promessa* di Dürrenmatt.

– Bel libro, – dissi.

Del Colle annuí. Mi avvicinai alla foto incorniciata sulla scrivania.

– Girolami? – chiesi, guardando l'uomo che vi era immortalato. – Il Mostro dell'Autosole? Il serial killer di prostitute? L'ha preso lei?

Sorrise compiaciuto.

– Uno dei miei primi arresti. Lo abbiamo fermato perché andava pianissimo. Guidava il suo bestione sulla corsia d'emergenza e sbandava, come gli ubriachi o quelli che hanno un colpo di sonno. Gli abbiamo domandato se gli serviva aiuto. Cortese, taciturno, incensurato... Poi il panico improvviso. Chissà, forse è vero che voleva proprio farsi prendere. E confessa in un sussurro il suo ultimo delitto: è là, dice, al quindicesimo chilometro dell'Aurelia. E non la finisce piú. Parla di Bice, di Anna, di Lorella. Si autoaccusa di delitti che non erano nemmeno ancora stati scoperti. Volevamo aiutare un camionista in difficoltà e abbiamo salvato chissà quante vite umane. E pensi che quella mattina non ero nemmeno di turno. Oggi saremmo ancora qui a scribacchiare il suo profilo psicologico... oppure...

– Oppure?

Indicò il libro con un gesto vago.

– Oppure una notte i Carabinieri, a un posto di blocco, s'imbattono in un tipo strano. Un controllo di routine, ma quello s'insospettisce. Ha paura. Accelera. Tenta di forzare il blocco. Un milite spara. L'uomo cade morto. Infuriano le polemiche sull'abuso di armi da parte delle forze dell'ordine. Intanto, non si ammazzano piú prostitute. Ma nessuno se ne accorge.

– Oppure, – aggiunsi, stando al gioco, – un mese o un anno dopo qualcuno, una domestica, ripulendo una povera casa trova un diario in cui l'assassino ha meticolosamente annotato tutte le sue imprese...

– Oppure, – concluse con il suo sorriso discreto e un po' amaro, – il delitto resta insoluto. Come l'ottantacinque per cento dei casi.

Restammo per qualche istante a fissarci in silenzio. Poi il commissario aggrottò la fronte.

– Si può sapere che cos'ha detto per farlo incazzare cosí tanto?

– Chi, Castello? Ma lui s'incazza sempre...

– Sul serio. Di che si tratta?

– Gli ho parlato di immigrati. Ho il vago sospetto che li detesti.

Del Colle allargò le braccia.

– Qualche problema di permessi di soggiorno, avvocato...

– Bruio. Valentino Bruio. No, niente permessi di soggiorno. Omicidio. Ho un cliente interessato a fare chiarezza sulla morte di Ray Anawaspoto.

– Persone di famiglia?

– In un certo senso.

Del Colle uscí dalla stanza per rientrare quasi subito con un esile fascicoletto dalla copertina rosa.

– Allora, chi è questo cliente?

– Se glielo dicessi, non credo che capirebbe...

– Mi dia una chance, che diavolo!

Sospirai. Forse quello strano poliziotto era persino in grado di capire.

– Roma è piena di stranieri. Manodopera a basso costo e manovalanza criminale. Profughi. Sbandati. Vittime della carestia e delle illusioni che continuiamo a vendere al resto del mondo dall'alto dei meravigliosi successi del nostro sistema. Gente dell'Est, cinesi, neri... i neri sono quelli che si notano di piú, commissario. Per via del colore, ovviamente. E sono anche i piú esposti. I piú odiati. Questo è un Paese razzista.

– Non esageriamo, avvocato Bruio. Non tutti...

– Ah, certo. Non tutti hanno il coraggio di ammetterlo. Noi italiani siamo quelli del non-sono-razzista-ci-mancherebbe-però-certo-che-se-becco-mia-figlia-con-un-negro... E se poi un extracomunitario investe un italiano vogliamo linciarlo, ma se un italiano...

– Sto aspettando il nome del suo cliente.

– I neri, commissario. Sono loro i miei clienti. I neri amici di Ray. Gente che chiede solo rispetto e dignità. Hanno diritto di sapere chi ha ucciso quell'uomo. E perché l'ha fatto.

Del Colle sbuffò, spazientito ma sempre gentile,

– Ha finito? Ho paura che la frequentazione con Castello abbia irrimediabilmente guastato la sua immagine della polizia. E può darsi, dico può darsi, che in parte lei abbia ragione. Ma per quanto mi riguarda, un omicidio è sempre un omicidio. Bianchi, gialli o neri, per me non fa differenza.

Sí, quello strano poliziotto era in grado di capire. Con la sua ironia misurata mi stava facendo fare la figura del vecchio bolscevico rimbambito. E quel che è peggio, gli credevo. Mi rifugiai nel toscano. Fumare a stomaco vuoto è il modo migliore per approdare direttamente al doposbronza senza passare per un buon whisky d'annata. Ma in quel momento era come una sfida con me stesso. Viviamo anche di queste piccole prove di forza.

– Bene, – tagliò corto Del Colle. – Questo... Anawaspoto Ray aveva un figlio di sei anni, di nome Barney, e lavorava come giardiniere presso una ricca famiglia, gli Alga-Croce. L'indirizzo, se vuole, può copiarlo dal fascicolo. Ho parlato ieri con la signora Alga-Croce, con suo padre e con un altro nero che lavora lí, una specie di factotum, autista, cameriere... cose del genere. Pare che il bambino, Barney, sia tornato dalla madre, e il padre... il morto, per intenderci... non voleva farsene una ragione. Ha cominciato a bere e hanno dovuto licenziarlo. Oppure se n'è andato da solo, la cosa ha poca importanza. Probabilmente aveva preso una cattiva strada. Ha altro da chiedermi?

– Sí. Le chiedo scusa.

Il commissario sorrise e mi tese la mano. Quell'uomo mi piaceva. Decisamente.

La nausea da tabacco si fece sentire all'altezza di piazza Navona. Mi accodai a un gruppo di chiapputi turisti in calzoncini che sciamavano tra fontane e pietre sacre scatenando il delirio nei pingui piccioni metropolitani. Un gatto di dimensioni inverosimili era riuscito ad afferrare un volatile e lo stava finendo a zampate capricciose. Due nobildonne litigavano sull'interpretazione della scena: quella alta e secca invocava sul felino i fulmini di Zeus, la bassa e tonda gli avrebbe dato una medaglia perché contribuiva a liberare la città dal contagiosissimo ratto alato dispensatore di immondi morbi.

Ascoltai compunto una ferrea guida di madrelingua inglese. Quel tizio nato nelle nebbie del Nord sapeva tutto del giocoso Bernini e della sua rivalità con il cupo Borromini. Io, che vivevo da sempre a contatto con tutta questa bellezza, confondevo ancora i due maestri. Le caratteristiche famigliole con cane e bambino zigzagavano in bicicletta fra aspiranti attori dall'aria sbattuta e caricaturisti annoiati.

Due posteggiatori armati di chitarra e sassofono storpiavano l'ultimo successo di Antonello Venditti. Ognuno si godeva innocentemente il sole.

Quei volti allegri, quei gesti monotoni, le attenzioni che si scambiavano... tutto questo mi metteva terribilmente a disagio. Mi sentivo escluso. Solo ed escluso. Avrei voluto pranzare a Tor di Nona, ma l'antica trattoria che un tempo elargiva generosissime mezze porzioni di bucatini e quarti di gallinacci ruspanti affogati nel sugo era stata rimpiazzata da un terrificante *McDonald's*, e nei dintorni, a vista d'occhio, non si scorgeva che un'interminabile terra desolata di pub, crêperie, insalaterie. Faceva eccezione un minuscolo take-away genericamente terzomondista: al bancone c'era un grasso paki, la cassiera era un'orientale e l'offerta variava dal Maghreb alla Thailandia. Mi sparai cuscus, felafel e pollo tandoori formulando una muta maledizione all'indirizzo del Pensiero Unico.

5.

Dopo una pennica sudaticcia popolata di palme e di spiagge mai toccate da mano umana, mi trascinai al *Sun City*. Rod non c'era. Ma Michael il giamaicano sapeva dove trovarlo. Lo seguii su una vecchia Volvo station wagon incredibilmente rugginosa, con la carrozzeria costellata di toppe di vernice color salnitro. L'escalation prima-seconda-quarta di Michael era degna di un test di volo della Nasa. Da un impianto artigianale retto da fili multicolori che a ogni sobbalzo rischiavano di collassare mi raggiunse la roca, inconfondibile voce di Bob Marley. Il Profeta cantava una beneaugurante *Three Little Birds:* non preoccuparti, andrà tutto bene...

– Rifatta pezzo su pezzo! – disse il giamaicano con orgoglio, dando piccole pacche sul cruscotto.

Quindici anni prima, a Londra, Michael era stato un giovane studente di Letteratura. Aveva combinato qualche casino durante i gloriosi giorni della rivolta del ghetto di Brixton e adesso tirava avanti come autista abusivo per extracomunitari. Aveva due mete esistenziali: la cittadinanza e una regolare licenza da taxista. Ci conoscevamo da una vita e non ero ancora riuscito a spiegargli che, prima di tutto, avrebbe dovuto conseguire una regolare patente di guida. Comunque, ci sapeva fare.

– Senti, avvocato, com'è che se in discoteca ci vado io mi schizzano tutte e se ci va Lenny K. le femmine bianche gli cadono tra le braccia?

– Quello è un divo, amico.

– Sí, ma è pure negro!

– Lui può permetterselo.

Mentre l'oscurità montava, lasciammo le strade piú frequentate per addentrarci nel suburbio. Sfilarono il Quarticciolo, l'Alessandrino, viale Palmiro Togliatti (com'è che ancora non gli avevano cambiato nome?), Tor Tre Teste. A poco a poco i negozi illuminati cedevano il passo ad ampi squarci di campagna, e di tanto in tanto s'intravedeva l'arrancare circospetto di un autobus. Ma nessuno spettrale squallore letterario di borgata, per fortuna. Solo una preoccupante carenza di esseri umani. Michael deviò infine per via dei Ruderi di Casa Calda e ci fermammo davanti a una bassa palazzina non ancora ultimata, a ridosso dei prati dove l'asfalto moriva e lontano, piú lontano del tramonto, s'intuivano, quasi a distanze prestabilite da un ordinato paesaggista, le masse concentrazionarie dei centri commerciali.

– È là dentro. Primo piano, – disse Michael. – Con i nigeriani.

– Andiamo?

– Non ci penso proprio, amico; quella è brutta gente.

Mi avviai da solo, piuttosto intimidito. Il portone era un arco senza infissi, l'ascensore non funzionava, l'unica lampadina appesa al soffitto mandava un triste lucore. Al primo piano c'era una sola porta. Bussai. Mi aprí un nero altissimo che fumava una corta pipa bianca.

– Rod, – dissi deciso.

Lui mi squadrò appena, e senza dire una parola indicò qualcosa alle sue spalle.

Lungo il corridoio che attraversammo dovetti far attenzione a non calpestare quattro o cinque neri addormentati, avvolti in coperte variopinte e incuranti del brusio che si levava dal fondo dell'appartamento. In un piccolo saloncino ne scorsi altri dieci, forse dodici. Sedevano in circolo fumando. Rod, in piedi, li arringava in tono appassionato. Accatastate contro le pareti, tre brande, una mezza dozzina di sacchi a pelo, alcune coperte. La finestra che s'apriva sui ruderi non aveva vetri.

Rod si accorse del mio arrivo e mi scoccò un'occhiata d'intesa. Uno dei neri si alzò e scagliò per terra la sigaretta. Pronunciò una frase aspra, in tono ultimativo. Rod replicò con veemenza. Anche gli altri si alzarono e, uno alla volta, vociando confusamente, abbandonarono la stanza. Quello che mi aveva aperto pulí la pipa con attenzione, ci soffiò dentro e si mise a contemplare la notte dalla finestra senza vetri.

– Andiamocene, – ordinò Rod. Dalla voce trapariva una stanchezza irritata.

Quando fummo in macchina mi spiegò che la trattativa era andata male.

– Che trattativa?

– Ragazze. I nigeriani volevano piazzarne tre o quattro davanti al *Sun City*. Gli ho spiegato che non era il caso.

– Brutta storia.

– Ho detto che se li vedo in giro gli spacco la faccia. Ho detto che non mi piace come trattano le loro donne. Sai come va coi nigeriani, no? Pagano il viaggio alle ragazze e poi le mandano a battere con una scatola di preservativi e un telefonino che può solo ricevere. E se qualcuna non ci sta, prima la minacciano col vudú, e se quella insiste la fanno ritrovare in un fosso con un metro di lingua fuori... E sono neri come me, Valentino. Neri e mafiosi...

– Allora ci saranno casini.

– Non credo. Non sono ancora cosí forti. Hanno accettato di spostare le ragazze. Per non creare problemi, diceva il loro capo. Poi però diventeranno piú forti e una sera verranno a bruciarmi il locale... Certe volte penso che è tutta fatica sprecata, amico mio. Tutta fatica sprecata.

Da quant'è che Rod cercava di orientare politicamente l'immigrazione nera a Roma? Anni? Secoli? Da quant'è che si scontrava con diffidenze, rancori tribali, interessi inconfessabili? Era un miracolo che non gli avessero ancora fatto la pelle.

Michael guidava con estrema cura e fissava silenzioso la strada buia. Anche la musica taceva. Raccontai dell'incontro con il commissario Del Colle e chiesi a Rod se se la sentiva di fare due chiacchiere con l'autista nero della famiglia Alga-Croce. Con un gesto vago, né sí né no, il sudafricano mi chiese se mi fidavo di quel poliziotto.

– Sembra un tipo a posto, – risposi. – Diamogli una chance...

– Sí, ma non dimenticare che resta un poliziotto. E bianco!

Per il resto del tragitto, in un silenzio incupito, guardammo sfilare la notte dal finestrino coperto di adesivi con la scritta FREE JOINT.

6.

Rod si trincerò rapido dietro il bancone del *Sun City* e prese ad armeggiare con le bottiglie di liquore. Ombre nere di africani si spostavano da un tavolino all'altro, in un moto perpetuo e insensato, scambiandosi occhiate di penombra. Giocatori vinti salmodiavano in un sommesso brusio il conto profitti e perdite, investendo in un mango al rum gli ultimi spiccioli della paga settimanale scampati al delirio della sala corse. Sax, *khora* e conga intristivano negletti in meccanica mestizia. L'atmosfera pesante della moribonda domenica mi aveva contagiato, e quando Saleh mi chiese di fargli l'imitazione di Groucho Marx lo mandai al diavolo. Rod aveva piú di un motivo per essere deluso dalla sua gente. Ma sempre qualcuno di meno di quelli che permettevano a me di averne le palle piene dell'Occidente bianco. In qualche modo, anche se tutto intorno a noi appariva follemente inutile, bisognava andare avanti. Raggiunsi il bancone e gli misi una mano sulla spalla. Rod si voltò lentamente, porgendomi una coppa di Alexander. Il cocktail bianco con una venatura di nero sulla superficie cremosa era il suo messaggio di pace.

Stavo per prendere la coppa quanto un'ombra di stupore estatico alterò lo sguardo del mio amico, e l'Alexander fu rapidamente dirottato verso la fonte del profumo intenso e aggressivo che mi solleticava le narici. Una lunga mano bronzea, dalle dita coperte di anelli, ghermí la coppa, e una voce profonda, dall'accento americano, disse: – Alla vostra salute!

Seguii la mano bronzea lungo il solco di braccia ingioiellate, su su per un levigato collo da Modigliani in noir, oltre due labbra carnose e un naso di classicità jazzistica, sino a due occhi ironicamente consapevoli del loro incommensurabile, lunare potere sulla metà piú forte del cielo.

– *Hi! I'm Cheryl!*

L'apparizione di una provocante bellezza nera di uno e ottanta prima fermò il tempo, poi lo proiettò a velocità stellare di là dal confine del sogno. Il *Sun City* resuscitava. Due atletici similrasta si misero furiosamente ad accordare le loro sgangherate chitarre. Nella confusione di voci che puntavano al diapason del desiderio, sguardi carichi di brama si compiacevano del corpo perfetto di Cheryl, dei suoi lineamenti alteri, dei cortissimi capelli lisci, morbido prato di guazza gelificata. Ordini concitati invocavano liquore e canzoni, musica dal fondo dell'anima e dal nero cuore della notte, *yeah!*

La ragazza si avviò al centro della pedana. Si fece un silenzio compatto, carico d'attesa.

– La conosci, Rod?

– Mai vista, ma lei è la vita. E io sono già fatto, amico!

La voce si levò dapprima in sordina, quasi intimidita, per dispiegare all'improvviso la roca potenza di singulti ora torbidi, ora violenti.

– Oh, Dio, Val! È... è meravigliosa!

Mi ritirai in buon ordine, lasciando Rod sulla soglia di un poderoso orgasmo virtuale. Corsi a rifugiarmi nell'angusta cucina del *Sun City*, cercando di dominare la legittima invidia per quel sensazionale idillio in nero. Soffocato da vapori afosi, improvvisai spaghetti al peperoncino calabrese. Intanto lanciavo occhiate furtive in sala: Rod sbavava, Cheryl, al centro della pedana, dominava con regale indifferenza quel serraglio grondante feromoni.

Ci ritrovammo tutti e tre a tavola. Rod era di una verve incontenibile. Cheryl sprizzava bagliori inquietanti. Io mandavo giú pasta collosa abusando di un Brunello che non avrebbe comunque mai conosciuto miglior fine. E la ragazza parlava, con voce melodiosa. Parlava del padre di Kansas City e della mamma, una principessa etiope. Cantava per hobby. Veniva da New York. Non aveva bisogno di lavorare, disse. Invocata a gran voce dalla platea, Cheryl tornò a esibirsi. Sulle note di *Silvye*, il canto dei forzati reso celebre dall'immortale Harry Belafonte, Rod mi afferrò forte per un braccio.

– Sparisci. Io chiudo e vado in Paradiso.

Ah, il mio amico nero! Il mio orgoglioso amico nero, la sua bellezza, il collo forte, le spalle tornite, il sorriso fosco, gli occhi languidi che s'accendevano di lampi terribili... Nessuna possibilità di mettermi in competizione. Con i miei quindici e passa chili di sovrappeso (beninteso tutti in vita), il sigaro universalmente ritenuto mefitico, l'eleganza, per cosí dire, stazzonata, era un miracolo che non fossi ancora pulzello. Mandai giú l'ultimo sorso di Brunello e mi preparai alle delizie del complesso Prattico. La musica tacque. Si levarono gli applausi. Afferrai al volo Cheryl mentre, sorridente e affaticata, tornava al tavolino.

– Sei stata bravissima. Io vado.

Sulla sua bocca incredibile si dipinse una smorfia di delusione.

– Cosí presto? Beviamo ancora! Ti prego, Rodney, pensaci tu. Ho voglia di qualcosa di forte.

Un lampo di panico saettò negli occhi del sudafricano. Si mosse con grande lentezza, ci squadrò per un istante che mi parve interminabile, si dileguò.

– Andiamo via. Adesso, – sussurrò Cheryl, prendendomi per mano. – Vuoi?

– Cristo santo, – balbettai. – Ma Rod... io...

– Oh, – sorrise lei, vagamente sprezzante. – Rod ha tanti amici, qui...

La seguii imbambolato, mormorando un silenzioso arrivederci a tutti quelli che abbandonavo alle loro fantasie, d'improvviso ritornate tristi.

7.

Dalla finestra della mansarda di Cheryl filtravano le urla della battaglia che s'era accesa tra due gruppi contrapposti di ragazzi che, muovendo da due diverse enoteche, prendevano d'assalto la statua di Giordano Bruno, pronti a scannarsi per chissà quali vitali questioni di *territorial pissing*. Echeggiò il suono di una sirena. Qualcuno lanciò un roco richiamo. L'ordine fu rapidamente ripristinato.

Non ci eravamo piú detti una parola. Lei sorrideva e si aggirava silenziosa in quelle due stanze anonime, dove l'unico tocco di stile era dato da un grande letto circolare con le lenzuola nere che evocava scenari di profumata perdizione. Accesi un toscano. Cheryl mise su un Cd di Bono e posò morbidamente i suoi sensazionali quarti posteriori su un divanetto coperto da un foulard dai colori sgargianti.

– Che ci facevi in un posto come il *Sun City*? – le chiesi, gettando in strada il fiammifero spento.

– Vieni qui, Valentino. Mi piace l'odore del sigaro. Ho un amico che fuma i toscani. Dice che sono l'unica a sopportarlo.

Restai in piedi vicino alla finestra. Cheryl maneggiò il dimmer di un'esile alogena a stelo. La musica, la luce ambrata stavano creando le premesse per qualcosa di bello. Eppure avvertivo come una nota stonata. Qualcosa di là dalla bellezza e dalla seduzione che allertava i miei sensi e m'impediva di lasciarmi andare. Le chiesi ancora del *Sun City*. Lei sembrò meravigliarsi della mia insistenza.

– Cosí, Val. Posso chiamarti Val? È tanto strano che una ragazza nera senta il desiderio di passare una serata in mezzo alla sua gente?

– Cheryl, una come te non s'era mai vista al *Sun City*...

– Perché? – Fece una risatina. – Che gente frequenta il *Sun City*?

Le spiegai che in origine il locale doveva chiamarsi *Nelson Mandela*. Rod avrebbe voluto un'insegna truculenta, con un nero che infrangeva le catene inseguito da un'orda di incappucciati armati di minacciose torce.

– E allora?

– E allora il Comune non si bevve la storiella di Mandela asso del football americano, e cosí ripiegammo su *Sun City*, perché per i neri era il simbolo piú odioso dell'Apartheid...

– Storie vecchie, – sospirò lei, reprimendo a fatica uno sbadiglio. – Ora in Sudafrica c'è la democrazia, no?

– Rod non la pensa cosí, e comunque il nome è rimasto lo stesso. *Sun City* è un punto di riferimento per molti immigrati.

Si stirò, pigra e sensuale.

– Anche tu non sei un tipo da *Sun City*.

– Bah, mi ci trovo a mio agio... poi sono un avvocato. Curo i loro interessi. Non è facile cavarsela con la legge italiana, se sei nero e povero...

– E in questo momento quali sono i loro interessi?

Le raccontai la storia di Al e l'incarico che mi era stato affidato. Era un modo come un altro per farle sapere che anch'io avevo uno scopo nella vita. Cheryl scosse il capo.

– Perché non può essere andata come dice la polizia?

La domanda mi spiazzò. Le dissi che mi fidavo di Rod. Lui sapeva molte cose. Se Rod diceva che Al era pulito, Al, per quanto mi riguardava, era pulito. Lei mi scoccò un'occhiata ricca di maliziosa tenerezza.

– Il tuo amico Rod è solo un presuntuoso. Tutte devono cadere ai suoi piedi perché è nero e bello. Lui sa tutto di tutti. Lui conosce tutti i neri di Roma. Intanto, però, non conosceva me.

Continuavo a sottrarmi al suo richiamo. Ma mi costava una fatica indicibile.

– Ti senti in colpa per Rod? Valentino, tu devi essere fuori di testa!

Tornai a guardare in strada. I sampietrini di Campo de' Fiori sfavillavano di scintille d'umidità. La notte era amica, la notte era ostile. Diffidenza e desiderio si disputavano la mia anima. La voce di Cheryl mi avvolse, calda, insinuante.

– Ti rendi conto di quante cose crediamo di sapere e sono sbagliate? Quante verità che non vediamo sono là, chiare, basta muovere una mano e le afferri... Che cosa sai veramente dei neri, Valentino? Sai quanti bastardi neri figli di puttana circolano in questa città? Sai quanti ladri, pusher, papponi?... Certe regole non conoscono razza, amore mio. Rod sarà anche nero come me, ma io voglio te. E ti voglio adesso!

Mi voltai. Mi persi nei suoi occhi. Fu un bacio estenuante. Una vertigine che mi svuotò, lasciandomi esausto. Ma fu solo un piccolo, insignificante lampo. Mi sciolsi con una carezza sulle sue lunghe dita.

– Io mi fido dei miei amici, Cheryl. Mi aiutano a tirare avanti.

– Dimenticali, Valentino!

L'incantesimo si ruppe. Vidi una donna attraente

ma troppo diversa da me, dal mio mondo. Non ero ancora pronto per l'oblio, e per quanto mi riguardava, il gallo poteva cantare a perdifiato. Non avrei rinnegato niente e nessuno. Cheryl si ritrasse con un sorriso deluso.

– Non ha funzionato, vero?

Ci salutammo in agrodolce, scambiandoci i numeri di telefono. A largo Argentina i taxi caricavano sonnolenti gli ultimi nottambuli delusi.

8.

Al bar che occupava un'intera ala dei sotterranei del tribunale l'avvocato Mauro Arnese, tra una chiacchiera e l'altra sui cavalli, la sua unica ragione di vita, mi chiese di sostituirlo in un caso di secondaria importanza, offrendomi uno stinto caffè e una lezione di buon senso.

– Chiedi scusa a Ponce del Canavè, – sospirò, sorseggiando il Martini omicida delle nove e tre quarti. – Gettati ai suoi piedi. Gli ho parlato. Aspetta solo un gesto da parte tua. La prenderà con ironia e capirà che si è trattato soltanto di un maledetto equivoco.

– Equivoco un corno! – sbottai piccato. – Io non chiederò un accidenti di scusa a quel farabutto. Tutta Roma conosce i suoi metodi...

– E li approva! Intanto, lui fattura miliardi e tu non batti un chiodo!

– Parlate sempre di soldi, voi avvocati.

– Oh, quanto a questo è stato aperto un picchetto sulla tua sorte. Ti dànno sedici a uno...

– Fossi in te, rinuncerei a puntare. Fatica inutile. Sono sicuro di essere sospeso.

La bella testa argentata del veteroliberal avvocato Arnese si abbandonò a un impercettibile ondeggiamento, come un moto di curiosità, o forse una sorta di tributo al fascino discreto dell'incoscienza.

– Sospeso? Magari! – borbottò. – Radiato. Espulso. Uno che sei radiato, sedici che ti sospendono soltanto. Tu finirai per esercitare abusivamente, dammi retta.

Non volevo dare retta né a lui né a nessun altro. Se mi fossi trovato senza lavoro, be', allora la vita avrebbe deciso per me, e non sarebbe stato un gran danno. Avevo sentito dire, una volta, che gli indecisi sopravvivono grazie ai capricci del caso.

Mi feci a malincuore strada nel terrificante mélange di falsi innocenti, veri aguzzini, presunti capri espiatori, supposti professionisti e torturatori travestiti da principi del Foro, e approdai all'auletta delle udienze preliminari. Il Gip era occupato. Mentre attendevo il mio turno, fui raggiunto dal collega Camilli. Un orrido fichetto che amava sfoggiare l'eleganza di un venditore di automobili e si vantava della sua inesauribile potenza sessuale.

– Bruio! Giusto te. Leggi un po' qua...

Presi il biglietto sul quale qualcuno aveva scritto, con grafia incerta, una sola parola: «Terguabi».

– Chi te l'ha dato?

– Una ragazza africana. Senti, tu... insomma, capisci la loro lingua, no?

– Quale lingua? Nella sola Nigeria ce ne sono trecento...

– Va bene, ma che cazzo significa *terguabi*? Per me è arabo.

– Non è arabo. Significa che preferisci andare con gli uomini piuttosto che con le donne.

Mi fissò sconcertato.

– È un insulto?

– Dipende...

In quel preciso istante la porta dell'auletta si spalancò e mi affrettai a sgattaiolarci dentro, inseguito da un'occhiata di fuoco del fichetto. Il Gip fu felicissimo di accordarmi un lungo rinvio. Il resto della mattinata trascorse fra tramezzini e chiacchiere sull'amministrazione della giustizia. All'ombra della statua di Mercurio, dio dei ladri, che fa opportunamente bella mostra di sé nel cortile del palazzo, incontrai colleghi che sacramentavano contro i magistrati e giudici che accusavano la corporazione forense di essere l'unica responsabile dello sfascio della giustizia. Niente di nuovo sotto il sole. Su una sola cosa erano tutti d'accordo, giudici e avvocati: o mi piegavo a Ponce del Canavè o per me era finita. Ma io pensavo a Jaimilia e al suo marmocchietto sacrificato sull'altare del perbenismo, e tenevo duro. Quando finalmente lasciai il tribunale, le mie quotazioni erano precipitate a trenta a uno.

Sulla via del complesso Prattico mi fermai dalla signora Carmen. La sorpresi mentre, con l'aria colpevole, cercava di far scomparire in un cassetto una busta già affrancata.

– Che cosa nasconde? – tuonai, giusto per lucrare un piccolo vantaggio.

Finii per farle confessare che la lettera era indirizzata a *Venere in pelliccia*. Si trattava di un recentissimo format televisivo nel corso del quale, in una classica ambientazione tette&lustrini, a prosperose casalinghe e ingrigiti stalloni dai muscoli cascanti si richiedeva, nell'ordine: a) di indossare un abbigliamento stravagante; b) di liberarsene in modo stravagante; c) di raccontare, una volta raggiunto uno stadio assai prossimo alla nudità assoluta, la propria fantasia erotica piú stravagante.

Al termine della serata, una giuria di Vip eleggeva i due vincitori, un uomo e una donna, ai quali spettava, oltre a un pacco di quattrini, un soggiorno di una settimana in una famosa località turistica. Periodicamente, i vincitori venivano rispediti davanti alle telecamere e invitati a dichiarare se avevano o no scopato con il partner di turno. Unici requisiti richiesti: età superiore a quarantacinque anni e una dichiarazione, sottoscritta dal coniuge del concorrente (ove coniugata/o) di accettazione delle regole dello show. Sesso proibito in testa, ovviamente.

– Be', auguri, donna Carmen.

– Lei dice che... io potrei...

– Farà strage di cuori, mi creda.

Lo prese per un complimento e mi consegnò un vasetto di maionese freschissima e tre scatole di tonno che avrei dovuto girare a Vincenza, con molte scuse per lo spiacevole equivoco del sabato precedente.

– Allora è vero che lei trucca le carte! – esclamai, puntandole contro l'indice. Carmen si sporse dal banco.

– Povera Vincenza, è pazza. Da quando le è morto il marito non è piú la stessa...

Riferii testualmente alla portiera, e per evitare che corresse a farsi giustizia da sé, accettai di trattenermi per il pranzo. I figli erano al mare, cosí dividemmo fraternamente peperonata, parmigiana di gobbi, spezzatino e una soave pitta 'nchiusa di noci che contribuí ad aggravare il già precario stato del mio fegato.

Piú tardi ricevetti posta da Zaphod, il mio guru elettronico.

DA: Zaphod zaphod@uburoi.com
A: bruio@tin.it
OGGETTO: [FWD] Semana de la amistad

Caro amico,
la vita è una catena, nel senso che le catene che ci arrivano, come quelle che ci legano, non finiscono mai...

Questa, in particolare, è vecchia, intessuta di veteroterzomondismo, e ti sarà ovviamente già arrivata da altre parti, però oggi mi tirava «il sonno della ragione eccetera». Difatti chiedo venia... È l'età.

Alessia ti saluta con un bacio.

Zaphod

MESSAGGIO

Se noi potessimo ridurre la popolazione del mondo intero in un villaggio di 100 persone mantenendo le proporzioni di tutti i popoli esistenti al mondo, il villaggio sarebbe cosí composto:
ci sarebbero:

57 Asiatici
21 Europei
14 Americani (Nord, Centro e Sud America)
8 Africani
52 sarebbero donne
48 uomini
70 sarebbero non bianchi
30 sarebbero bianchi
70 sarebbero non cristiani
30 sarebbero cristiani
89 sarebbero eterosessuali
11 sarebbero omosessuali
6 persone possiederebbero il 59 per cento della ricchezza del mondo intero e tutte e 6 sarebbero statunitensi
80 vivrebbero in case senza abitabilità
70 sarebbero analfabeti
50 soffrirebbero di malnutrizione
1 starebbe per morire
1 starebbe per nascere
1 possiederebbe un computer
1 (sí, solo 1) avrebbe la laurea.

Se si considera il mondo da questa prospettiva, il bisogno di accettazione, comprensione ed educazione diventa evidente. Prendete in considerazione anche questo.

Se vi siete svegliati questa mattina con piú salute che malattia siete piú fortunati del milione di persone che non vedranno la prossima settimana.

Se non avete mai provato il pericolo di una battaglia, la solitudine dell'imprigionamento, l'agonia della tortura, i morsi della fame, siete piú avanti di 500 milioni di abitanti di questo mondo. Se potete andare in chiesa senza la paura di essere minacciati, arrestati, torturati o uccisi, siete piú fortunati di 3 miliardi di persone di questo mondo. Se avete cibo nel frigorifero, vestiti addosso, un tetto sopra la testa e un posto per dormire siete piú ricchi del 75 per cento degli abitanti del mondo. Se avete soldi in banca, nel vostro portafoglio e degli spiccioli da qualche parte siete fra l'8 per cento delle persone piú benestanti al mondo. Se i vostri genitori sono ancora vivi e ancora sposati siete delle persone veramente rare.

Se avete ricevuto questo messaggio, consideratelo come una doppia benedizione, perché qualcuno ha pensato a voi e perché non siete fra i due miliardi di persone che non sanno leggere.

Qualcuno una volta ha detto: «Lavora come se non avessi bisogno dei soldi. Ama come se nessuno ti abbia mai fatto soffrire. Balla come se nessuno ti stia guardando. Canta come se nessuno ti stia sentendo. Vivi come se il Paradiso fosse sulla Terra».

È la settimana intemazionale dell'amicizia.

Manda questa e-mail a tutti quelli che tu consideri AMICI.

Inoltra questa e-mail e rendi radiosa la giornata di qualcuno.

Se non la inoltri non succederà niente. La sola cosa che succederà se la inoltrerai è che qualcuno potrà sorridere nel riceverla.

Se avete degli amici teneteli cari nel vostro cuore, e non abbiate paura di mostrare il vostro affetto, perché i vostri amici pensano a voi e vi vogliono bene.

Tanti saluti a tutti.

P.S. Ovviamente, Valentino, non è altro che una *hoax*, una bufala.

Il problema, con Zaphod, è che non sai mai dove finisce lo scherzo e dove comincia la verità. Il bravo, vecchio Zaphod! Una bufala, certo, ma con qualche grano di senso. Stavo cercando di assemblare una risposta spiritosa quando Rod mi cercò sul portatile.

– Ho parlato con l'autista. Si chiama Latif. È sudanese. Quell'uomo non mi piace, Valentino. Al non era suo amico.

– Come fai a dirlo?

– Nessuna pietà nelle sue parole. E non mi guardava mai negli occhi. Poi nasconde qualcosa.

– Come hai fatto ad avvicinarlo?

Rod rise.

– Gli ho detto che raccoglievo fondi per la comunità.

– E lui?

– Ah, lui... non mi interessa nessuna comunità, dice. Dice che presto andrà in America.

– Buon viaggio. Avete parlato di Al?

– Secondo lui l'hanno licenziato perché si ubriacava. Balle, amico. Questa storia puzza!

– Hai provato a parlare del bambino?

– Non mi ha risposto.

– Andrò a controllare.

– Be', amico, allora preparati a entrare nel Paradiso terrestre.

Nessun cenno a Cheryl. Rod sapeva perdere con stile. Quanto a me, non avevo nessun interesse a sollevare l'argomento: se Rod avesse saputo come mi ero comportato con la sua mancata conquista mi avrebbe come minimo appeso a un gancio da macellaio.

9.

Alle cinque e mezzo varcai la soglia dell'Eden. Villa Alga-Croce, ultimo domicilio conosciuto di un nero che chiamavano Al. Non sapevo che fare, da dove cominciare. Il cancello di ferro era spalancato, e non c'erano né vigilanti né videocitofono. Dappertutto regnava un silenzio innaturale.

Per prima cosa fui assalito da una devastante fragranza di fiori. Enormi rose fuori stagione, miracolosi ibiscus, cespugli di belle di notte pronte a cedere alla luna: un tappeto colorato sul quale esitavo a imprimere la mia orma indegna, e qua e là tronchi intrecciati di alberi secolari il cui fogliame riluceva di raggi dispersi tra i rami. A intervalli regolari, sciaguattavano fontanelle gentili, e grosse cornacchie, spiritosi merli e arditi passeri zampettavano sul brecciolino che demarcava ordinati, geometrici sentieri.

Mi accasciai su una panchina di pietra, la mente rivolta a mio padre e ai suoi saggi consigli. Frequenta i ricchi. Impara da loro a farti strada. Nessuno potrà mai cancellare il potere dalla faccia della Terra. Rispetta chi ha e anche tu avrai. Parole di vento.

A sinistra della cancellata sorgeva un androne, e s'intravedeva una scalinata che doveva condurre ai piani superiori. Piú discosto c'erano un capanno, una bicicletta da bambino con le ruotine di sostegno e un panda di peluche abbandonato sul sellino. Tutto era calmo, composto, sereno. Tutto era lontano dal tumulto di quell'estate feroce in cui Al aveva trovato piombo e sangue. Mi alzai, diretto all'uscita. Avrei atteso Latif in strada. Accesi un sigaro e misi il fiammifero in tasca. Ero quasi fuori dai cancelli del cielo quando fui percosso da una vocina.

– Mani in alto! Girati lentamente e fatti identificare!

Il sigaro mi sfuggí dalle labbra. Mi chinai per raccoglierlo e la vocina minacciò di spararmi alle spalle. Alzai le mani, voltandomi con grande circospezione.

Un bambino dai capelli rossi, alto poco piú di un metro e trenta, magrissimo, con i jeans e la Lacostina gialla, mi teneva sotto il tiro del suo fucile stellare dalla lunghissima canna.

– Come hai detto che ti chiami? – chiese, sospettoso.

– Non l'ho detto, – risposi, sempre tenendo le mani alzate.

– Dillo.

– Mi chiamo Valentino...

– No che non ti chiami Valentino! Tu sei Kingpin, il malvagio ciccione.

– Be', non esageriamo...

– Sí! Tu sei Kingpin e io, Peter Parker, detto anche l'Uomo Ragno, ti fermerò. Prendi questa, panzone!

Fece un verso sibilante con la bocca. Mi avvitai sulle ginocchia abbattendomi teatralmente sul ghiaietto. Il piccolo rise divertito.

– Puoi alzarti, sai, non è mica vero! L'Uomo Ragno non uccide mai.

Mi tirai su, avanzando con un sorriso rassicurante. Lo disarmai all'improvviso e feci fuoco a mia volta.

– Mai fidarti dei grassoni, stupido insetto! – sibilai con aria truce.

Risi anch'io, e finalmente ci stringemmo la mano, nella parodia d'una presentazione formale che il bambino recitò con grande sussiego.

– Avvocato Valentino Bruio.

– Nicky Alga-Croce. È il nome della mamma. Nonno Noè dice che devo usare solo questo.

Mi trascinò verso una fontanella e mi mostrò con orgoglio una dozzina di stupefacenti pesci tropicali che fluttuavano con immensa grazia in un'acqua miracolosamente limpida.

– Guarda quello azzurro. Si chiama Bulbasaur, come il mio Pokémon preferito.

– Ah, sí? A me invece piace quello giallo. Tu non ci crederai, ma è proprio uguale a mio zio Mimmo. Guardalo bene: non ti sembra un ragioniere in pensione, con quel naso a patata e gli occhietti tondi?

Mi fissò perplesso.

– Che cosa vuol dire ragioniere in pensione?

– Lasciamo perdere...

– Tu sei un amico della mamma? – chiese, allontanandosi dalla fontanella.

– A dire il vero...

– Allora sei un ladro? Mi devi rapire?

Sembrava elettrizzato dalla prospettiva.

– Ma che dici? Sono un avvocato!

– Peccato!

Nicky sbuffò deluso. Mi raccontò che l'anno prima sei suoi compagni di scuola erano stati rubati.

– Derubati, – lo corressi.

– È uguale. Uno l'hanno quasi rapito...

– Chissà che spavento!

– Bah, non so. Si divertivano tutti, a scuola. Io penso però che se lo prendevano... tanti mesi lontano dalla mamma...

– Tu vuoi bene alla mamma?

Si bloccò, squadrandomi sospettoso.
– Certo. Tutti i bambini vogliono bene alla mamma.
– E dopo la mamma?
– Nonno Noè.
– E dopo nonno Noè?
Un'ombra di tristezza velò gli occhi azzurri.
– Avevo un amichetto...
– E adesso?
Si strinse nelle spalle, senza rispondere.
– È partito? – insistei.
Nicky annuí. Decisi di giocare la mia prima carta.
– Era nero?
Il bambino sorrise.
– Tu come fai a saperlo?
– Oh, io ho un sacco di amici neri.
– Che bello! Allora hai visto le gazzelle e i leoni. Barney mi parlava sempre dei leoni, e anche dei coccodrilli e delle scimmie. Secondo te, è piú forte la tigre o l'elefante?

Ci pensai su prima di rispondere.

– L'elefante. La tigre sarà magari piú cattiva, ma l'elefante, se vuole, la schiaccia. Comunque, non fanno la guerra tra di loro.

– E perché?

– Be', la tigre mangia solo carne e l'elefante solo verdura...

– Lo so! – S'illuminò tutto. – La tigre è un animale carnivoro. L'elefante un animale erbivoro... però...

Era tornato triste, di colpo.

– Che succede, Nicky?

– Io li ho visti gli elefanti, e anche le scimmie, allo zoo. Stanno in prigione, per questo sono tristi. E c'erano anche quegli uccelli feriti. Ci sono persone che strappano le ali agli uccelli, cosí, per divertirsi. Sono persone cattive. Io, quando sono grande, mi iscrivo al vu-

vu-effe, e quelli che strappano le penne agli uccelli li ammazzo!

– Chi è lei? Che cosa ci fa nel mio giardino con mio figlio?

Una voce femminile. Profonda, roca, sensuale, ma anche indignata. Mi girai, e questa volta le mani dovetti alzarle per davvero. Perché la signora in jeans e maglietta bianca, la signora dall'aria decisamente irritata, puntava contro il mio sterno una pistola. Piccola ma vera.

– Mamma, – spiegò paziente Nicky. – Non puoi spararagli. Lui è già morto. L'ho ammazzato io.

Le spiegai il motivo della mia intrusione. Accennai a Ray Anawaspoto. Dissi che non era mia intenzione commettere una violazione di domicilio, ma che quel giardino era cosí bello che mi ci ero smarrito, e cosí, invece di cercare, come avrei dovuto, i legittimi proprietari, avevo...

– Insomma, mi scusi. Ma mi lasci dire che suo figlio è davvero il bambino piú simpatico del mondo.

Le mostrai il tesserino dell'Ordine. Lei contemplò la foto e operò un rapido confronto con i miei lineamenti.

– Non le stavano male i baffi.

Si era rilassata. Mise via la pistola e mi tese la mano. Nicky mi strizzò l'occhio e andò a giocare vicino al cancello.

– Giovanna Alga-Croce. E mi scusi per l'accoglienza.

– Capisco. Quando si ha cosí tanto da difendere si diventa fatalmente sospettosi.

Sorrise. Una splendida, alta trentenne dal collo miracolosamente levigato, labbra imbronciate, occhi scuri, profondi, ora cupi, ora brillanti. Ma c'era un fondo di tristezza in quel sorriso.

– Mio padre dice che il giardino degli Alga-Croce deve sempre essere aperto alla gente. Tutti devono rendersi conto della nostra ricchezza. Lui è convinto che la ricchezza sia un dono...

– Non mi pare un'idea particolarmente originale.

– Ma a volte può diventare una maledizione.

– Quando decide di liberarsene mi faccia un fischio.

– Crede che non ci abbia già provato? C'è stato un tempo... non molti anni da... in cui ho desiderato con tutte le mie forze distruggere questa casa con i suoi abitanti. Mi sentivo prigioniera, odiavo questo giardino, i vecchi mobili, gli amici di papà... Ancora adesso, certe volte...

– Ho un cliente esperto in esplosivi. Posso presentarglielo.

– Per carità! – Rise. – Detesto la violenza.

– Allora si è rassegnata senza combattere?

– Ma che dice! – Sussultò, fingendosi scandalizzata. – Ho fatto quello che fanno tutte le signorine di buona famiglia.

– E cioè?

– Ho mangiato troppo, ho smesso di mangiare...

– Poi?

– Poi papà ha finanziato una costosissima terapia dal piú famoso esperto in disagio giovanile e la pecorella smarrita è rientrata all'ovile. Come da copione.

Sedemmo su una panchina. Nicky studiava le evoluzioni di una lucertola, senza interferire. Il rispetto degli animali è sempre un buon segno. Anche se miliardario, da grande non sarebbe diventato un serial killer. Il profumo di Giovanna era inebriante. La sua presenza mi turbava. Quella ragazza mi piaceva, oh, se mi piaceva! E in un modo confuso, irrazionale, percepii che forse le piacevo anch'io. Per evitare equivoci, assunsi una goffa posizione a braccia conserte.

– Sa cosa direbbe uno psicologo da giornale femminile, avvocato? – La sua voce aveva un tono di autentico divertimento. – Che lei se ne sta sulla difensiva. Eppure, non sono stata io a cercarla... andiamo, non mordo mica!

Continuava a stupirmi. Mi ero aspettato una dea frigida, e invece avevo di fronte un'ex ragazza spiritosa e gentile. Aprirmi con lei mi venne naturale. Le raccontai i dettagli della missione che mi era stata affidata. Le dissi che gli amici di Al si attendevano che trovassi il suo assassino. Giovanna si passò una mano tra i morbidi capelli ben curati.

– La Polizia è già stata qui. Erano in due. Un giovane pallido... un tipo interessante, a suo modo, una specie di Daniel Auteil giovane, molto educato, un po' impacciato... e l'altro...

– Un buzzurro manesco che ha sporcato il tappeto e terrorizzato il bambino cercando di fargli ganascino sulle guance.

– Sí, ma gli ha detto male. È stato Nicky a terrorizzare il buzzurro. Gli ha fatto scoppiare un petardo tra i piedi.

– Nicky! – urlai.

Il bambino si voltò verso di me.

– Nicky, sei grande!

– Lo so, – rispose, sicuro di sé ma contentissimo. Giovanna disse che Barney era stato iscritto a un collegio.

– Qui non potevamo piú tenerlo. Papà si è offerto di pagare le spese.

– Un collegio? Che generosità!

– È un bambino molto dotato. È giusto che abbia un'istruzione.

– Sa della morte del padre?

– Gliel'ha detto papà. Io non avrei avuto il coraggio.

L'ombra della solitudine di quel cucciolo nero scese tra di noi. Avrebbe mai trovato la forza di perdonare? Se solo fossi stato meno distratto...

– Però, povero Ray, – sospirò Giovanna. – Da quando si era separato dal figlio non era piú lui. Piangeva, beveva, trascurava il lavoro...

– E non andava mai a trovarlo? Barney, voglio dire.

Lei si mostrò sorpresa.

– Sí, credo di sí. Certo, qui c'era molto da fare, ma... in ogni modo, quello che volevo dirle è che era cambiato. Si era fatto cupo, sfuggente. Come incattivito...

– Era stato derubato della gioia di vivere, signora. Poi l'avete licenziato.

Mi fissò dura, infastidita.

– Sono ricca, e questa può essere una colpa. Ma non sono una belva. E questo, se permette, è un merito. Forse papà si sarebbe convinto a riprendere Barney con noi. Nicky gli era molto affezionato. Io non ho licenziato Ray, avvocato. È stato lui ad andarsene. Dalla sera alla mattina. Senza una parola. Svanito nel nulla. Non ne abbiamo saputo piú niente finché i poliziotti non sono venuti a interrogarci.

Sembrava sinceramente dispiaciuta. Per la seconda volta da quando mi ero cacciato in quella storia fui costretto a scusarmi con qualcuno che mi piaceva e che avevo in qualche modo offeso. Le chiesi di Latif.

– Lui e Ray si sopportavano a stento.

– Avrei bisogno di parlargli.

– Oggi è la sua giornata libera, avvocato. Ma può tornare quando vuole...

Una frase di circostanza, certo, ma l'aveva detta fissandomi negli occhi. E c'era una curiosa venatura nel suo sguardo. Come un rimpianto gentile. Il cuore prese a battermi forte. Rivederla? Perché no? Se era lei a volerlo... una donna bella, bellissima, la piú bella che avessi incontrato da... forse in tutta la mia vita non avevo mai visto una donna cosí bella. Di colpo Latif fu solo un pretesto. Rivederla?

– Ci ha mai provato davvero? Con tutte le sue forze? – le chiesi d'impeto.

– Cosa?

– Ha mai provato sul serio a fuggire?

Giovanna agitò le mani, come per afferrare un impossibile oggetto. Avvertivo sottopelle la sua inquietudine trattenuta. Non avrei saputo spiegare perché, ma la avvertivo vicina. Vicina e struggente.

– Si guardi intorno... a che sarebbe servito?

Che strana, emozionante sensazione! Era come rivedere un'amica persa di vista da tanti anni. Ritrovare intatta ogni cosa d'un tempo: gli stessi grandi e piccoli difetti, lo stesso fascino... intanto, non mi stancavo di percorrere con lo sguardo la linea sottile delle caviglie, il profilo impertinente dei seni, il delicato contorno dei profondi occhi...

– Qualcosa non va, avvocato?

– È stato un piacere, signora, – borbottai, strappandomi a forza dall'incantesimo.

Giovanna accennò un lieve sorriso. Restammo qualche istante a seguire il percorso del sole nel fogliame. Nicky era tornato alla fontanella e ci fissava con l'aria complice.

– È stato un bellissimo incontro, – ripetei.

– L'accompagno.

Sul cancello, mi sfiorò il palmo della mano. Un caso, certo, ma il morbido, elettrico contatto era uno di quegli shock che ti cambiano la vita.

– Domani sera diamo una piccola festa. Perché non viene, avvocato?

– Credo che non sarei intonato all'ambiente. L'ha detto lei, prima... si guardi intorno...

– Mi sta dicendo di no? Nicky si offenderà. Ho l'impressione che vi siate piaciuti molto, voi due.

Nicky doveva averci sentiti. Perché si era aggrappato alle falde della mia giacca e mi minacciava scherzosamente con l'arma bionica.

– Se non prometti di tornare, non ti lascio andare via! Dài, vieni! Cosí ti faccio conoscere il nonno.

– Allora l'aspettiamo, avvocato.

Mi allontanai senza rispondere. Acquattato dietro una colonna, a distanza di sicurezza dal giardino delle fate, accesi un mezzo toscano. Nicky ciondolava lentamente verso casa. Giovanna s'era attardata sotto gli alberi. Un altro raggio vagabondo di sole, altre scintille dai suoi capelli. Carezzava un ibiscus. Il fiore che vive un solo giorno e si prepara dolcemente a morire all'approssimarsi del tramonto. Con la febbricitante coscienza di chi ha donato di sé tutto ciò che valeva la pena di essere donato. Gli dèi che popolavano quel paradiso erano giovani e belli, ma da dove nascevano tutta quella tristezza, tutto quel desiderio? Nicky soffriva di solitudine. Gli mancava il suo amichetto nero? E Giovanna? Si sentiva sola anche lei o era la mia fantasia guasta che voleva crederlo?

Desiderai con tutte le mie forze quella donna, quel figlio. Eppure sapevo bene che non sarei mai stato capace di legare a me nessuna donna. Nessun figlio.

Tornai al complesso Prattico con la morte nel cuore. In tempo per una telefonata di Vittoria. Si tratteneva per l'intera settimana a Terracina. L'oculista si era rivelato una vera delusione, ma in compenso aveva conosciuto un simpaticissimo «esecutivo» di Mediaset.

– Esecutivo? Cos'è, uno che si occupa delle condanne a morte? Una specie di boia, insomma?

– Stupido! Un produttore esecutivo. Ha promesso di trovarmi un lavoro.

– Ma ce l'hai già, un lavoro.

– Bella roba. Segretaria di un avvocato che non mi paga da mesi lo stipendio... Lo sai che potrei farti causa?

– Be', anche tu, quanto a rispetto degli impegni...

– Ma quali impegni? Se non si vede un cliente da una vita!

– Ora ce l'ho, un cliente.

– Sí, il solito extracomunitario senza una lira.

Dalla cornetta filtrarono mugolii e risatine. Percepii distintamente un paio di parole-chiave: attrice, fiction. Povera Vittoria. Fuori tempo massimo per età, circonferenza, ambizioni, ma era anche colpa mia se stava rapidamente precipitando in una situazione alla *California Suite*. La lasciai in balia del suo funzionario mandrillo e cercai di placare gli ardori sotto una doccia come si deve. All'appuntamento con la Grande Madre Mediterranea volevo presentarmi almeno in condizioni dignitose.

10.

– Sai, figlio, – imperversò mia madre in tono malizioso. – Quando ho visto che mi piombavi in casa con il gelato di Pica e la bottiglia di vino, giusto in tempo per la cena, mi sono chiesta se per caso non ti abbiano diagnosticato un brutto male.

– Ma mamma, io... – tentai di articolare, in un debole sussulto di protesta che lei represse con un gesto che non ammetteva repliche.

– Non m'interrompere! Settimane di silenzio e all'improvviso eccoti qua. Eh, poi ho visto che partivano il primo e il secondo piatto di pasta. Le braciole al sugo. La mozzarella in carrozza. Le melanzane sott'olio. Le pesche al vino. Il gelato. La crostata di frutta. E ho capito che sei nei guai sino al collo. Confessa: non hai una lira e magari la polizia ti sta cercando.

– Mamma! – declamai, enfatico. – L'unica ragione che mi ha spinto sin qui è stato l'irresistibile richiamo delle tue orecchiette.

Un abisso di tenerezza esplose nei suoi occhi brillanti. Mia madre è pugliese. Quando ancora vivevo in famiglia, tutte le domeniche tra lei e mio padre, romano da almeno quattordici generazioni, si scatenava una vera guerra. Mamma preparava una quantità inverosimile di orecchiette. E io la stavo a osservare a bocca aperta mentre, accantonati Lucrezio e il Bembo, impastava, disponeva, mattarellava e conformava acqua e farina, generando, con un lestissimo moto di pollice e indice, tante sorelline con il cappello all'insú che presto avrebbero sguazzato in un denso sugo aromatico, seppellite sotto una montagna di cacioricotta...

Quanto a papà, alle undici di ogni dí di festa immancabilmente scompariva per ripresentarsi a ora di pranzo con una pignatta di rigatoni con la pajata e la mitica coda alla vaccinara di nonna Elide. Mamma allora decantava la fragranza delle orecchiette e si appellava a Platone: visto che l'anima gode del ricordo, mio padre, che non voleva ricordare, era senz'anima. Lei rifiutava in blocco la grassa cultura gastronomica quirite e ci teneva a ribadire che quando la Magna Grecia aveva già prodotto una fiorente civiltà mercantile Roma non era che un inospitale borgo di rozzi pastori. Senza sollevare lo sguardo dai rigatoni, mio padre benediceva l'imperialismo repubblicano e se la prendeva con quell'imperatore reo di aver esteso la cittadinanza agli italici non quiriti.

E io, il figlio della *mésaillance*, godevo del meglio delle due tradizioni. E mi educavo, inconsapevolmente, ai valori della tolleranza laica.

– Ipocrita! – sbottò mia madre infine. – La verità è che sei innamorato!

– Ma che ti salta in mente!

– Valentino Bruio, non raccontiamoci storie. Il destino della nostra famiglia è di finire vittime dei sentimenti.

L'osservai incuriosito.

– È successo qualcosa?

– Il ragioniere, quella serpe... diceva di essere vedovo, invece è solo separato. E l'altra, poverina, che fa? Mica può rinunciare a tutto...

Inghiottii l'ultimo brandello di crostata e mi affrettai ad abbracciarla. Mia madre sarà forse un po' svampita, ma quarantadue anni di liceo le hanno insegnato a manifestare senza pudori la fiera freddezza della professoressa di belle lettere. Si divincolò, e una vecchia bottiglia di whisky fece la sua miracolosa apparizione.

– Ti è persino consentito di fumare uno di quei tuoi pestilenziali sigari, figlio, ma a una condizione: fuori la storia!

Versò una dose microscopica di alcol nel lodevole intento di preservare dall'inevitabile cirrosi ciò che restava del mio fegato, e si dispose all'ascolto. Le raccontai i fatti separati dalle opinioni, ma quando feci il nome di Giovanna lei aggrottò le sopracciglia.

– Sta' alla larga da quella donna. È pericolosa. Però temo che tu sia già cotto.

– Ma quando mai!

– È lampante, sei frenetico! Ma ricorda, figlio, che non esiste al mondo la donna che fa per te. Tu sei un Attila dei sentimenti. Ridurresti in fin di vita chiunque provasse a starti vicina. Basta vedere come tratti la tua povera mamma!

– Anche il tuo presunto vedovo, però, – la rimbeccai, piuttosto piccato.

– Lui non c'entra. È solo una questione di forma. A una certa età le apparenze hanno il loro peso. Ma non doveva mentire, ecco. Quanto a te, invece...

Sprofondai nell'aroma del whisky. Vecchia storia. Nessuna madre di figlio unico ha mai potuto tollerare la Straniera che le ruba il pargolo. Dopotutto, non avevo che trentacinque anni!

– Tu t'innamori dieci, cento volte al giorno, Valentino. E non concludi un bel niente. Non sei una persona seria...

– Sono una persona moderna, mamma. Non sai che la mia è la generazione della formazione permanente?

Ma perché finivo sempre sotto processo?

– Tutto quello che ti aspetti dall'amore sono sciacquette, – rise cinica. – Segretarie dai capelli tinti o signorine con la bocca a culo di gallina che non ti concedono mai una seconda chance. Questa qui poi ha già un figlio sul groppone. No, non ci siamo proprio.

Mi fermai a dormire nella mia stanza d'adolescente. Nel cuore della notte mi svegliò una spaventosa erezione. La libreria dei miei lunghi pomeriggi d'estate era ancora là. E c'era ancora l'intercapedine ricavata da una gibbosità degli umidi Salgari nelle Edizioni del Gabbiano. Sedotto dalla memoria, tuffai una mano: doveva esserci rimasto qualcosa. Infatti recuperai delicatamente la vecchia rivista impolverata e accartocciata.

Come un predatore solitario, a quei tempi, abbandonavo la mia tana alle tre, quando tutti erano oppressi dal sentimento del pomeriggio, e correvo a rifornirmi di materiali sconci presso certe sudice bancarelle fuori mano. Atto sicuramente riprovevole sotto molteplici profili: ma tant'è, se come uomo condanno la pornografia, mi capita, da intellettuale, di esserne bestialmente eccitato.

Lessi la data ingiallita. Pulsavano le pieghe della bellezza che tanti anni dovevano aver mutato. Furiose corse col cuore in gola per ideare sempre piú sofisticati nascondigli. Occultare sospiri, svagatezze, sguardi sognanti...

L'attrice, ancora giovane all'epoca, si mostrava all'obbiettivo impietoso già segnata da un male oscuro. Brufoli sulla pelle di seta. Erano quelle lievi imperfezioni che alimentavano il mio desiderio? Che ne sarà di te adesso, mi chiedevo? Dov'è la tua freschezza di un tempo? Hai regalato ancora istanti di turbamento a sconosciuti che sprofondavano in un oceano di piacere meschino, ferito? Che significava vendersi per duemila lire in un'edicola di periferia?

Ma mentre sfogliavo la rivista mi sembrava di essere partecipe di un rito arcano, adepto di una setta dall'identità sfuggente. A ogni volto, a ogni smagliatura, si sovrapponeva il profilo di Giovanna. Immaginavo i suoi seni. Non sapevo se sorridere di me stesso, se arrossire di vergogna. L'eccitazione svaní presto. Feci in tanti piccoli pezzi il giornaletto e mi addormentai di colpo, curiosamente appagato.

11.

L'aria trasognata e intorpidita di chi è appena reduce da una notte che vorrebbe dimenticare in tutta fretta, il commissario Del Colle mi tese una mano stanca e si accasciò sulla sedia con una smorfia dolorosa.

– Ah, la cervicale! Quand'ero sulla strada non ne soffrivo mica, sa? Dev'essere una specie di malattia professionale dei culi-di-piombo... Stia a sentire, avvocato: che significa quando un magistrato prende un fascicolo, ci aggiunge una C e un numero di protocollo, poi si alza, apre un armadio, depone il tutto e congeda il poliziotto asserendo di essere terribilmente impegnato in un complicatissimo caso di frode fiscale?

Sorrisi con l'aria di chi la sa lunga.

– Diciamo che quel fascicolo dormirà per sei mesi in compagnia di quintali di polvere. Lo disseppelliranno al momento dell'archiviazione. Della morte di Anawaspoto Ray non gliene frega niente a nessuno.

Annuí, palesemente nauseato.

– Quel suo amico... Rodney Winston... dovrebbe andarci piú leggero con il rum. Non so proprio se riuscirò mai a riprendermi... io sono quasi astemio, sa?

– È stato al *Sun City*!

– Già. Mi sono seduto e ho detto: scusa tanto, fratello... Mi sono sorbito una tirata di due ore sulla Commissione di riconciliazione nazionale del Sudafrica.

– Rod dice che è stata una porcata. Dice che dovevano sbattere in galera tutti i bianchi torturatori.

– Una posizione un po' radicale... Da quanto ho capito, bianchi e neri si sono seduti intorno a un tavolo e hanno deciso che non ci sarebbero state vendette. Una cosa sensata, non le pare?

– La penso come lei. Ma Rod ha qualche motivo, commissario. A due suoi fratelli hanno fatto il *necklace*...

– *Necklace?*

– Il collarino, se preferisce. Si prende un nero e gli si mette un copertone di automobile intriso di benzina intorno al collo. Poi gli si dà fuoco. Una procedura usuale, per gli squadroni della morte...

– Capisco, – sospirò. – Comunque, al *Sun City* si viola la legge.

– No! – esclamai, fingendomi scandalizzato. – Ma se hanno tutte le licenze in regola!

– Forse per i generi di monopolio. Ma a quanto mi risulta, sino a questo momento i derivati della cannabis sono ancora illegali, in questo Paese.

– Ma lei non gli ha detto...

– Che sono un poliziotto? Ci mancherebbe! Quando ero a Milano ho imparato a mie spese che a una ragazza o a un amico non devi mai dire che fai lo sbirro.

– E che cosa gli diceva, se non sono indiscreto?

– Che facevo l'attore... oppure l'impiegato.

Risi, reprimendo la voglia di accendermi un toscano. Gli chiesi se avevano parlato di Al.

– Chi è Al?

– Anawaspoto. Il morto. Si faceva chiamare cosí.

– No, abbiamo parlato di jazz. Il suo amico possiede delle autentiche rarità. Registrazioni di Archie Shepp del periodo free e persino una lacca originale di Eric Dolphy al *Five Spot* nel '64, l'anno della morte. Dolphy era grandissimo. Sensualità e violenza...

– Lei è uno strano poliziotto.

– Non siamo tutti uguali. Questione di temperamento, credo. Questo è un mestiere duro. È facile scoppiare. C'è chi si rincoglionisce di giornali sportivi, chi per trovare un po' d'amore taglieggia le puttane e chi tira avanti senza mai guardarsi intorno, poi un giorno, all'improvviso, si scopre a chiedersi: che cosa ci faccio io qui?

– Insomma, – tagliai corto. – Il caso Anawaspoto è chiuso...

Sorrise. Il pulviscolo che penetrava dalla finestra spalancata rendeva opprimente la respirazione. Roma era, come al solito, una riuscita imitazione del Medio Oriente.

– Sí, ufficialmente il caso è chiuso. Ma io ho ancora qualche curiosità.

– Per esempio?

– Il figlio di... Al. Mi domando che fine abbia fatto.

Gli raccontai del mio incontro con Giovanna. Quando gli dissi che il bambino era in collegio reagí con una punta di sarcasmo.

– Mmm... devo aver letto qualcosa di simile in Faulkner... il piantatore bianco che si prende a cuore il povero orfanello nero... o forse era *La capanna dello zio Tom*?

Mi strinsi nelle spalle. Del Colle non aveva torto. Anch'io avevo avuto un'impressione sgradevole. Ma Giovanna Alga-Croce mi era parsa sincera. Poi era cosí bella...

– Proverò a parlare con Latif, – dissi. – Ma pare che lui e Al non fossero amici.

– Se dovesse sapere qualcosa, magari ne potremmo parlare insieme davanti a un bicchiere di rum, lei, il suo amico e io.

– Magari al *Sun City*.

– Magari... Oh, Signore, la mia testa! Ma è sicuro che il suo amico... solo generi di monopolio, eh?

– Farò un'indagine, – lo rassicurai.

Mentre ci stringevamo la mano, il commissario mi chiese quanto ci fosse di vero in quella storia del Consiglio dell'Ordine.

– Chi gliene ha parlato? Castello, vero?

– Sarebbe seccante se la cacciassero. Comunque, potrei darle una mano a prendere la licenza di investigatore privato.

Fu un vero miracolo se non finii la giornata in ospedale, travolto dai figli di Vincenza che si esercitavano alla corrida con un grosso gatto invelenito nel cortile del complesso Prattico. Scansai per un pelo una bastonata della madre, diretta al minore, nel momento esatto in cui il felino stava per essere raggiunto da una stilettata alla schiena. Vincenza si profuse in mille scuse e mi elargí una boccia di pomodori secchi sott'olio.

– Avvocato, siete stato grande! Quella str... Carmen è venuta con la coda tra le gambe. Maionese e latte gratis per un mese. Ce ne vorrebbero di uomini come voi.

Sino alle quattro mi crogiolai nel pensiero della mia unicità. Il mondo intorno era posseduto da una frenesia elitista: perché avrei dovuto sottrarmi? L'esclusivo avvocato Bruio, in diretta per voi a casa vostra: con Jacuzzi, Ferrari e griffe a piacimento. Perché no? Poi il cuore andò in tilt. Era l'immagine di Giovanna, che prendeva a schiaffoni le già provate difese immunitarie dei miei ormoni.

Calai in Honda al centro storico, dove ben presto il mio senso morale fu messo a dura prova. La tangente del recupero crediti del signor Plu di Civita Castellana doveva servire a procurarmi un completo decente per il party della sera. Finii sbatacchiato da comitive di ilari pellegrini nipponici che giocavano alla Giostra del saracino con la mia perplessità.

Piú volte fui sorpreso, il naso schiacciato contro collezioni prêt-à-porter per ipertrofici palestrati, dalle occhiate irrequiete di commesse insospettite dal furfante che doveva celarsi dietro l'aria apparentemente dimessa di un avvocato dagli scarsi mezzi. Piú e piú volte, sul limitare di botteghe scintillanti, fui sul punto di rinnegare gli adorati carboidrati e di convertirmi al culto del body building. L'estremo limite del degrado fu toccato quando, impietrito sull'uscio di una boutique che ricordava la sede di Bankitalia presidiata da baffuti vigilantes armati di calibro 38, mi scoprii a invidiare la nobile figura dell'avvocato Maurizio Ponce del Canavè, e tutto ciò che in essa vi era di simbolico. Volevo un'altra vita.

Volevo ricominciare da tutta un'altra parte. Ero pronto ad ammettere che il Consiglio dell'Ordine aveva diecimila ragioni per cancellarmi dai ranghi. Infine, osservando una vetrina sfarzosamente decorata con manichini che raffiguravano l'assassinio di una bronzea modella nera a opera di un'adolescente anoressica coperta di piercing, rinsavii.

Non era stato che un momento di transitoria follia. Una follia di nome Giovanna Alga-Croce. Ma lei, probabilmente, aveva già dimenticato il nostro fugace incontro. Le avrei scritto due righe per scusarmi. Potevo aggiungere un orsacchiotto di pezza per Nicky. A proposito, ma ai bambini piacciono ancora gli orsacchiotti di pezza? Non sarebbe stato meglio un mostro a sei teste che sputava vomito corrosivo? In ogni caso, avrei affrontato Latif da solo. Non ero disposto, tutto sommato, a finire nelle fauci del perbenismo. Non ancora. Un uomo deve saper riconoscere il momento di dire basta. E quando il gioco si fa duro, i duri cominciano a giocare.

Determinatissimo a intraprendere l'operazione recupero-dei-valori-fondanti-di-un'intera-esistenza, feci ritorno con piglio battagliero alla mia Honda. E dentro ci trovai, comodamente sprofondato, Rodney Winston. Una visione scioccante. Non l'avevo mai visto cosí elegantemente vestito. Una via di mezzo fra un trafficante di cocaina e un modello di Mapplethorpe. E un sorriso franco e divertito sul bel volto nero.

– Quel che ti serve è un amico, Val. Un vero amico. E io sono tuo amico. Cercavi un vestito? Eccotelo! – E indicò il suo meraviglioso completo.

– Ma come diavolo...

Rod additò con un gesto ieratico l'onnicomprensivo, vasto mondo.

– Sa forse la preda nella foresta che il cacciatore è alle sue spalle?

– Tu non hai mai visto una foresta in vita tua. Se solo ti ci fossi avventurato, saresti finito sbranato dal primo gatto selvatico di passaggio. Tu sei un nero di città che ha studiato e che vende erba al primo sconosciuto senza nemmeno informarsi, prima, se per caso non sia un poliziotto...

Sorrise con falsa modestia.

– E tu non sei un cacciatore di uomini. Sei un avvocato bianco un po' schizzato che non ha mai partecipato a una festa elegante in una casa di ricchi. Non sei nemmeno mai stato cameriere per i ricchi. Ascolta i miei consigli, e scambiamoci i vestiti...

Macumba? Vudú? Rod indossò la mia giacca con un solo commento.

– Puzza di sigaro!

Poi, dopo essersi sbarazzato con disgusto di briciole e mozziconi, mi tese un pacchetto di preziosissimi, costosissimi Cohiba Lancero.

– Visto che hai il vizio del fumo, che sia almeno roba di qualità.

Senti chi parlava di vizi! Comunque, nella calma inquieta di via Casilina, potei con agio deliziarmi di un blazer blu di fresco di lana, calzoni coloniali con riga e risvolto, camicia di seta fine, calzini color cremisi, boxer bianco con un microscopico porcello sorridente giusto in corrispondenza dei gioielli di famiglia, scarpe traforate e cravatta di Marinella. Sulla soglia del cortile, a donna Vincenza sfuggí di mano la scopa.

– Gesú, avvocato, avete svaligiato una banca?

– È tutta scena, Vince', niente paura! Tra meno di un'ora grandi solchi di gelato righeranno questa meraviglia, le ascelle saranno alonate da enormi macchie di sudore e qualcuno mi chiederà con discrezione da quale tappezziere mi servo!

– Certo, certo, ma almeno il cartellino del prezzo potevate levarlo!

12.

Nel salone dai grandi affreschi, Giovanna, il bel volto lievemente piegato, m'indicava un senatore, un manager, una top model, un regista della televisione, un barone palermitano, il presidente dell'Ordine dei farmacisti, un generale, un ambasciatore, e io m'inchinavo a destra e a manca, sorriso ebete, bicchiere nella destra, sinistra ancorata alla tasca dei calzoni.

– Ora mi scusi, devo dedicarmi agli altri ospiti...

Fluttuò via leggera, e io continuavo a sorridere, e intanto la divoravo con il peccato negli occhi. Le sue spalle nude luccicavano, e l'acconciatura degli splendidi capelli ramati esaltava il candore del lungo collo e il rossore carnoso delle labbra. Sorridevo. Osservatore frastornato, straniero tra gli stranieri, il commissario politico del partito dell'insurrezione piombato per puro caso in un covo di lussuriosi controrivoluzionari.

Cercai scampo in una poltrona addossata a una colonnina marmorea. Il bicchiere era vuoto, ma i camerieri evitavano con cura di incrociare il mio sguardo. Con il loro acume professionale, dovevano avermi giustamente catalogato tra gli ospiti di scarso rilievo. Un indiano in sari e turbante mi chiese, in un ampolloso inglese oxfordiano, se a mio avviso l'idea del Fondo monetario di elargire sovvenzioni per una scuola nel Kerala era degna di essere coltivata.

– *I think it's a terryfic idea!* – risposi.

L'indiano s'inchinò in segno di approvazione e mi chiese se condividevo le linee della politica estera del suo Paese nei confronti degli odiati cugini pakistani. Forse era il fantasma di Peter Sellers, e forse tutti e due eravamo capitati per caso dentro una copia magica di *Hollywood Party*. Mi sottrassi all'incantesimo bofonchiando una scusa e presi a vagabondare tra i saloni in cerca di Latif, o di un angolo riparato, o di tutti e due. C'era uno scomodissimo Chester che aveva l'unico pregio di essere momentaneamente privo di occupanti. Mi soffermai sull'arredamento: il sofisticato equilibrio tra i Bacon e il Settecento, frutto di lunga meditazione, cedeva a tratti il passo a scomposte reminiscenze di un postmoderno che irrompeva strafottente dai marmi tricolore e da ridicole colonnine. Piccoli tocchi di cattivo gusto che, mi dicevo, non potevano appartenere alla mia Giovanna. Cosí come lei non poteva, non doveva appartenere sino in fondo a questa devastante mondanità... «La mia Giovanna? Ancora? Ma vuoi piantarla, Valentino?»

E Giovanna ricomparve, come se il mio desiderio avesse avuto il potere di evocarla. Una lieve ombra di tensione le incrinava gli alti zigomi. Al suo fianco, un nero in divisa. Latif. Confabularono. Il nero si allontanò scuotendo la testa. Giovanna si accorse della mia presenza. Mi sorrise. Veniva verso di me. A ogni passo, una megera ingioiellata o un cretino griffato la fermavano, sommergendola di untuosi complimenti, informandosi su questo o quel membro della famiglia, godendo comunque dell'immeritato privilegio di bere una sorsata del suo inebriante profumo.

Ma io leggevo nel suo sguardo. E il suo sguardo diceva che lei stava cercando solo me. Era scoccata una scintilla. La piccola ma robusta, indomabile scintilla di un fuoco che poteva scompaginare il tempo, bruciare lo spazio, annullare ogni differenza... Ero quasi sul punto di afferrare la sua lunga mano quando un'imperiosa voce maschile pronunciò il suo nome, e lei ebbe un moto istintivo, come di timore, e si voltò rassegnata.

Non era molto alto. Distinto. Barba curatissima, sale e pepe, pochi fili grigi tra i capelli. Cinquant'anni o giú di lí, portamento eretto, fiero, da dominatore. Sorriso da irresistibile seduttore. Una di quelle adorabili canaglie per le quali gli italiani periodicamente sbavano, pur sapendo che all'occorrenza la maschera affabile cadrà, lasciando il posto a una spietata determinazione. Al suo passaggio gli ospiti mormoravano apprezzamenti cerimoniosi, e lui ricambiava proiettando tutt'intorno lampi di sagace baldanza. Cinse Giovanna alla vita e la baciò sulla fronte. Lo odiai. Desiderai per lui una morte lenta, crudele.

– Avvocato Bruio, – sussurrò Giovanna. – Le presento il professor Mario Poggi, l'illustre clinico... oh, e naturalmente il colonnello Petrovic.

Si era materializzato alle spalle dell'illustre clinico. Un tipo massiccio, compatto, sui quaranta, biondissimo, quasi albino, il volto duro e le maniere sbrigative di chi è avvezzo a risolvere senza tentennamenti le situazioni piú scabrose. Ricordava in versione baltica l'Harvey Keitel di *Pulp Fiction*: mi chiamo Wolf, risolvo problemi. Sfiorai appena la mano che Poggi mi aveva teso con irritante familiarità. Quanto a Petrovic, ci squadrammo per pochi secondi. Mi aveva valutato a prima occhiata, e decise di disinteressarsi di me. Disinteresse ampiamente ricambiato.

– Questa, avvocato, è una grande serata, – disse Poggi, cordialmente.

Petrovic annuí, cercando di spacciare per sorriso una sorta di ghigno sadico che gli deformava l'apparato mascellare.

– Naturalmente, – riprese Poggi, – il nostro avvocato è al corrente...

Giovanna mi lanciò un'occhiata disperata.

– Ma non dirmi... – Poggi sembrava incontenibile. – Dobbiamo... Vieni, tesoro!

L'aveva ruvidamente afferrata. Il bambino prepotente che abbranca il suo giocattolo preferito. L'aveva trascinata al centro della sala. Il brusio degli invitati cessò di colpo. Il professore si gonfiò come un tacchino.

– Signore, signori, amici... questa è la piú bella serata della mia vita. Ho l'onore di annunciarvi in forma ufficiale il mio fidanzamento con Giovanna Alga-Croce.

– Evviva!

– Evviva, evviva!

Saltarono svariati tappi. E fu esattamente in quel momento che ebbi la lucida percezione di quanto Giovanna mi fosse entrata nel sangue.

Meditai in rapida successione: l'aggressione diretta; l'infarto; una dignitosa uscita. E intanto la bocca dello stomaco si serrava, un sapore amaro scivolava lungo la gola, e se avessi avuto sottomano Belzebú o il suo fidato servo Azazello gli avrei venduto l'anima in cambio di un bazooka.

– Ha fatto buon colpo! – sogghignò il colonnello Petrovic.

La tensione si faceva insopportabile. Cercai con lo sguardo Giovanna, ma lei mi sfuggiva. Era evidente. O era solo un'altra fata Morgana del mio inveterato masochismo? Scivolai dietro una colonna, attraversai una stanza, poi un'altra. Il rumore della folla si attenuava. Cercavo una via di fuga. Avevo voglia di vomitare. Mi trovai la strada sbarrata da un muro. Mi voltai per tornare sui miei passi. Il nero in uniforme da autista mi fissava beffardo e sospettoso. Latif.

– Posso aiutare, sir?

– Cercavo il bagno. Lei è Latif, vero?

– Lei come fa a saperlo?

Il suo italiano era sciolto, senza inflessioni. Il tono era guardingo.

– Un amico mi ha parlato di lei.

– Che amico?

– Un nero.

– Io non ho amici neri.

– Perché, è razzista?

Sorrise. Un sorriso antico e indecifrabile, come i suoi occhi scuri e assenti.

– Io non ho amici. Né neri, né bianchi. Il bagno è al piano di sopra, sir.

Indicò una scalinata che non avevo notato. E scomparve. Silenzioso, impenetrabile. Mi ritrovai in un boudoir dal lusso dannunziano che solo la tranquillante presenza del cesso permetteva di definire stanza da bagno. Riemersi rinfrancato da cinque minuti di buona, fresca acqua corrente. Latif l'avevo visto. Giovanna era andata. Non volevo tornare alla festa. Non avevo nessuna voglia di affrontare il promesso sposo e il suo tirapiedi. Volevo tirarmi fuori dall'intera storia. Mi sentivo svuotato, carico di anni. L'incursione fuori della riserva era stata prodiga di amarezza. Volevo solo tornarmene nel mio mondo. Magari fuggendo per i tetti.

13.

C'era un secondo piano, poi ce n'era pure un terzo. Corridoi e altri corridoi. Una porta aperta. Entrai. La stanza era deserta, ma qualcuno aveva edificato un altare, e sull'altare campeggiava il ritratto al naturale di un gentiluomo in abiti cinquecenteschi appoggiato all'elsa di un monumentale spadone. Aveva le guance incavate e profonde occhiaie, come se la morte fosse stata sul punto di ghermirlo. Il suo enigmatico sorriso rivelava un'intima malvagità. Mi avvicinai incuriosito. Tra polvere e ragnatele scorsi una minuscola iscrizione in fondo alla lama.

NULLA MAJESTAS SINE TURPITUDINE

– Già, – confermò una voce alle mie spalle. – Non c'è grandezza che non abbia peccato!

Mi voltai di scatto, pronto a scusarmi per l'irruzione. Ma il vecchio dai capelli candidi, in giacca da camera, sorrise e mi invitò a seguirlo. Mi condusse in un grande studio dalle imponenti librerie di noce e mi fece segno di prendere posto su una poltroncina di pelle rossa. Lui si accomodò dietro un enorme scrittoio.

– Quello che stava ammirando con tanta intensità è il ritratto di Fredo di Costamara, primo principe di Turgonia. Dipinto nel 1571. Fredo aveva appena fatto ritorno dalla battaglia di Lepanto. Un ingegno acuto. A Lepanto si era distinto come guerriero del Santo Sepolcro, difensore della cristianità minacciata dai miscredenti, ma anche come fornitore militare del Gran Turco, difensore dei propri interessi. Quella frase sulla punta della lama costò la vita al pittore, maestro Agostino. L'artista era stato indotto a dipingerla su istigazione della moglie di Fredo, donna Elvira. Il principe era gravemente ammalato... una specie di morto vivente. Fu proprio a cagione della malattia che Agostino lo raffigurò sorretto dall'elsa; non era piú grado di reggersi sulle proprie gambe...

– E... morí?

– Come tutti. Ma prima fece in tempo a godersi il supplizio dell'impudente pittore. *Poena cullei*. Il disgraziato fu rinchiuso in un sacco con alcune bestie che lo dilaniarono... E ora veniamo a noi. Io sono Noè Alga-Croce. Potrei sapere che cosa ci fa lei in casa mia?

– Sono stato invitato da Giovanna.

– E per quale motivo?

– Abbiamo scoperto di essere vecchi amici.

– Non basta.

– È la verità.

– Giovanna non fa mai niente senza uno scopo preciso. In questo ha preso da suo padre. Ma solo in questo. Per il resto, è una donna...

– Già, – sbuffai, cupo. – Una donna.

Il vecchio mi fissò con gli occhietti penetranti.

– Lei cosa fa?

– Sono avvocato.

– Siete novemila solo a Roma. Mi dica qualcosa di piú significativo. Qual è la sua specialità? Penale, tributario, brokeraggio, fusioni e incorporazioni, le-verage buy-out, insider trading...

– Negri sfigati.

– Un sopravvissuto! O peggio... un idealista? Un puro?

Non sapevo che dire. E se avessi cercato di esporgli anche solo la minima parte della mia visione del mondo, avrei finito per sentirmi un irredimibile coglione.

– Le dirò quello che penso della purezza, – riprese il vecchio. – Per quarant'anni ho lavorato nell'alta finanza, e non ho mai avuto la ventura d'imbattermi in un uomo puro. Oh, molti dicono di esserlo, e forse per un certo periodo sono anche convinti di esserlo. Ma è solo questione di tempo... di tempo e di preferenze. C'è chi farebbe follie per una ballerina, chi per un ragazzino implume. Ho visto fior di cervelli rovinarsi al tavolo da gioco o vendersi per un misero seggio in Parlamento, e quanto a me... quanto a me sarei disposto a calpestare l'umanità intera per un buon sigaro.

– Allora, – dissi, sfilando dalla tasca uno dei preziosi sigari di cui mi aveva fatto dono Rod, – prenda questo. È cubano.

Dopo le prime due boccate, uno stupore estatico si dipinse sul suo volto.

– Un Lancero... niente male, anche se, personalmente, le mie preferenze vanno ai Robustos. Trovo che il loro gusto sia piú... piú virile. Dicevamo? Ah, sí, la purezza. Vede, avvocato, i cubani chiamano i loro sigari *puros*, i puri. Questa è l'unica forma di purezza che un vecchio disilluso come me è in grado di concepire. Eppure me li vietano, capisce? Vede quel mobiletto lí? È chiuso a chiave. Sprangato. E la chiave ce l'ha Giovanna. Per quanto abbia insistito, pregato... è stato inutile! Mia figlia è irremovibile. Il mondo contemporaneo è salutista, patofobo, ossessionato... ma sí, ossessionato dalla purezza. I giovani, poi, sono i peggiori. Credono di sconfiggere la morte con la paranoia. Sa che cosa c'è lí dentro?

– Non riesco nemmeno lontanamente a immaginarlo, – balbettai, confuso da quello strano e affascinante personaggio.

Il vecchio aspirò una violenta boccata.

– Whisky. Una bottiglia di Speyside Honey che Angus McGregor distillò personalmente per me nel 1936. Una fedele amica, che mi ha accompagnato nei momenti piú difficili di una vita, che, le assicuro, è degna di essere raccontata. Nettare degli dèi, ambrosia... solo chi è di là dal bene e dal male può capire.

Mi venne in mente «Manolesta» Leopardo, un vecchio cliente. Ogni volta che riuscivo a fargli ridurre la pena in appello, ricambiava insegnandomi qualche nuovo trucco. Forse ciò che mi accingevo a fare non era molto puro, ma ci sono momenti in cui la simpatia prevale sulla purezza.

– Ha un tagliacarte? – chiesi, in tono da cospiratore.

Il vecchio mi lanciò un oggetto appuntito dall'impugnatura d'oro. Fronteggiai il prezioso scrigno. Serratura senza borchia. Stipiti duri. Era solo questione di leva. Inserii la lama in una microscopica fessura. Girai nei due sensi. Premetti forte. Lo scatto fu accompagnato da un verso di ammirazione del vecchio AlgaCroce. Mostrai la bottiglia senza etichetta.

– Whisky, avvocato, – sussurrò il vecchio. – In gaelico *uisce,* «acqua»... *uisce beatha*, «l'acqua di Bethu», la vita... Si serva pure: la vita è nelle sue mani.

Prima sfilai anch'io delicatamente un Cohiba e lo accesi. Mi versai un dito di liquore. Lo assaporai. Non riuscii a mascherare la delusione. Un blended, e anche un po' svaporato. Forse Chivas, se non peggio. Mi ci sarei giocato due anni di guadagni.

– Allora?

Alga-Croce mi fissava con l'aria vagamente divertita.

– Non ho certo la pretesa di competere con lei in fatto di gusto, e forse è passato troppo tempo dal 1936, ma il fatto è che questo whisky sembra...

Sorrise, visibilmente soddisfatto. Aveva gli occhi giovani.

– Sembra in tutto e per tutto simile a un discreto Chivas... la ringrazio, avvocato. E mi congratulo con lei. Gli amici di mia figlia avrebbero fatto a gara nel lodare la magnificenza di questo nepente. Ma le pare che se davvero Angus McGregor avesse imbottigliato per me il suo whisky nel lontano 1936 me lo sarei tenuto lí per tutto questo tempo? Con il rischio di una pallottola, di un cancro, di un incidente stradale, di aver mangiato quarant'anni fa una bistecca col prione... morire come un imbecille senza averne gustato un goccetto quand'era il momento? Ma andiamo! Comunque, non se la prenda: davvero me lo vietano. Anche se so benissimo che la chiave è sotto la libreria, in quel cassetto.

Scoppiai a ridere. Il vecchio si uní. Avevamo creato una corrente di inspiegabile, autentica condivisione. E altrettanto inspiegabilmente Alga-Croce, tornato improvvisamente serio, riprese la sua lezione sul casato.

– Dopo Fedo di Turgonia venne il turno di Giovanni Nepomuceno. Necrofilo e bevitore di sangue umano. Poi Turingo, mercante di schiavi. Sa, era un momento difficile. Seguí un'altra dozzina di tagliagole titolati che si misero in mostra nei piú svariati campi del crimine in grande stile. Sino all'ultimo dei Turgonia, Lauretano, fucilato dai partigiani nel '45 a Saluzzo. Pensi che curiosa coincidenza: Mussolini a Salò e Lauretano, sifilitico e cocainomane, a Saluzzo...

– E lei?

– Oh, io... io ho comperato questo palazzo e il titolo nel '47. Assicurandomi, con la transazione, un degno posto nella tradizione di famiglia.

Dai piani inferiori filtrò uno scoppio di risa argentine che mi riportò al presente.

– Devo andare, – dissi, alzandomi di scatto.

– Perché è venuto qui stasera, avvocato?

– Gliel'ho già detto. Ho incontrato Giovanna, e...

– Balle. Lei non si è casualmente imbattuto in mia figlia. Lei ha fatto domande precise. Non menta con me. Non ne è all'altezza.

Mi rimisi seduto. Ora gli occhi del vecchio si erano fatti ghiaccio. Intuii per un attimo la rapace maschera dello spietato finanziere.

– Va bene. Sto indagando sulla morte di Ray Anawaspoto.

– Non mi curo delle storie dei servi.

– Eppure, mantiene suo figlio in collegio...

– Un vezzo, – rispose con un gesto di fastidio. – Comunque, quel bambino dimenticherà presto.

– E Latif? Lui e Ray non erano amici, vero?

– Latif non ha amici. E ora, torni pure alla festa. È stato piacevole bere un bicchiere e fumare un buon sigaro con un uomo che ha uno scopo nella vita.

– Per me la festa è finita, – replicai deciso. – E non ho altro scopo se non quello di andarmene da qui al piú presto.

– Non sopporta quella gente, eh? – ridacchiò lui.

– Assolutamente no.

– La capisco. Gli amici di mia figlia sono una massa di piccoli, boriosi aspiranti pescecani. È tipico di Giovanna. È attratta dalle apparenze. Mio genero, oltre a rivelarsi un idiota, s'illudeva di poter frapporre ostacoli al divorzio. Un pidocchio. Avido, cinico e ladro. Qualità di per sé non ostative al lavoro in finanza. Ma insufficienti, se non accompagnate da un'infinita dose di pazienza e di ironia.

– Ma guarda! E pensare che un tempo si diceva che pazienza e ironia fossero le qualità che si richiedevano a un rivoluzionario.

Il vecchio, compiaciuto, levò l'indice ossuto.

– Diciamo allora che un buon capo dev'essere, per necessità di cose, un rivoluzionario.

Questa volta mi alzai definitivamente.

– Auguri a sua figlia, comunque. Che sia un felice matrimonio.

Mi scoccò un'occhiata densa di sarcasmo.

– Le dispiace, forse?

– Francamente me ne infischio.

– Mmm... Rhett Butler non era un puro.

– Arrivederci.

– Ancora una cosa, avvocato...

Aveva schiacciato un invisibile pulsante. In lontananza echeggiò un trillo.

– Torni a trovarmi. Quando vuole. Lei è il benvenuto. Ma ci sono argomenti ben piú interessanti di un negro morto.

La porta si spalancò e Nicky fece irruzione, scortato da Latif. Il bambino si precipitò tra le braccia del nonno. Poi si accorse della mia presenza e mi minacciò scherzosamente, mimando il gesto della pistola.

– Ancora qui, Kingpin? La prossima volta non avrai scampo.

– Non ci sarà una prossima volta, Uomo Ragno. *Bang*! Sei finito!

Nicky simulò una morte straziante.

– Tu puoi andare, – ordinò il vecchio a Latif. Poi prese Nicky per mano e se lo mise sulle ginocchia.

Era vinto dalla tenerezza per il nipotino. Se tutti gli uomini avevano un prezzo, il suo si chiamava Nicky. Scacciai quel pensiero. Ero troppo condizionato dall'aria di mercato che si respirava tra quelle mura.

– Ora tu, Nicky, mi farai un piacere. Porterai l'avvocato in soffitta e gli mostrerai la scala antincendio... poi a letto, intesi?

D'impulso, lanciai sulla scrivania la scatola con i sigari superstiti. Il vecchio annuí.

– Lei è un uomo intelligente. E non privo di una certa ruvida classe. Materiale grezzo, ma con un buon addestramento se ne potrebbe cavare qualcosa di notevole.

Cinque minuti dopo mi calavo per una ripida scaletta che moriva nel giardino, dietro la fontana dei pesci tropicali. Nel salutarmi, Nicky mi aveva chiesto perché non la sposavo io, la sua mamma.

Già, perché?

Nel corso di una rapida puntata al *Sun City* misi Rod al corrente della situazione.

– Cosí ora tutti sanno chi sei e che cosa stai cercando, amico.

– Sí, è stata una cazzata, lo ammetto.

– Al contrario. Non si prendono i pesci senza calare la rete. Se l'assassino è in mezzo a quella gente, prima o poi si farà vivo.

– E se invece quelli non c'entrano niente? Se Al s'era messo a fare le rapine o a spacciare? Credi di poter controllare tutti i neri di Roma? Lo credi davvero?

Rod accese con estrema cura uno spinello e me lo passò. Era contrario ai miei principî, ma quella era una sera speciale. Poi, anche il commissario Del Colle...

– Amico, – disse Rod. – Ti è apparsa la Madonna o cosa? Al era pulito. Fidati.

– La verità è che voglio uscire da questa storia.

– E invece ci sei dentro e ci resterai sino alla fine. Fuma, amico, fuma e non pensare alla donna bianca.

14.

Di quella notte ricordo il tavolino che vacillava, gli occhi di gazzella di Marya al suo nuovo boy-friend, un palestrato idraulico di borgata Fidene, l'incredibile cesso unisex del *Sun City*, autentico oltraggio alle piú elementari norme in materia di igiene pubblica, un fiotto di vomito rosa e un ossessionante hip hop amplificato sino all'inverosimile dalla dilatazione spaziotemporale del tetraidrocannabinolo. Ero appena finito tra le grinfie di una banda del Kkk, e il vecchio e sogghignante Noè Alga-Croce stava giusto appiccando il fuoco alla fascina alla quale ero stato legato quando le robuste mani del commissario Del Colle mi strapparono al rogo.

– La vedo a pezzi, avvocato...

Qualcuno aveva cinto intorno al mio cranio una corona di ferro e si divertiva a stringere. Effetto-garrota, per intenderci; qualcun altro mi aveva spazzolato le pupille con la carta vetrata. Mi lasciai trascinare via con una debole protesta. Sotto il bancone Rodney dormiva abbracciato a un'ariana bionda dalla pelle latte&miele. Amburghese, se non ricordavo male: quei due avrebbero spopolato al concorso per il manifesto in difesa della società multiculturale. Carezzai le due teste e affrontai piazza Vittorio con il blazer stazzonato e picchiettato di macchie sospette e l'alito indescrivibile. Non era un caso che il *Sun City* fosse sorto in quella zona. Non c'era un posto piú straniero in tutta Roma. Anche ora che il vecchio mercato africano era stato praticamente smantellato, potevi passeggiare intorno alla stazione per delle intere mezz'ore senza incrociare una faccia bianca. C'erano strade indiane e paki e strade afro, laboratori dove i cinesi sgobbavano ammassati come sardine per ripagare le Triadi che avevano finanziato il loro viaggio della speranza, locali mediorientali e posti telefonici a tariffa ridotta presi d'assalto da una folla vociante di lavoratori domestici piú o meno in regola.

Del Colle mi accordò quattro minuti per una specie di isterica colazione in un bar di via Principe Eugenio. Elegante, ben rasato, il vice-Daniel Auteil quella mattina impersonava un giovane professionista alle prese con un caso rognoso. Il cappuccino non era male, ma il cornetto sapeva di rancido. Sicuramente un precongelato precotto di una qualche grande catena di catering. Pasta filante pompata di grassi reidrogenati, una scopatina nel microonde e via. La soppressione del cornetto artigianale meritava un posto d'onore tra i tanti crimini del capitalismo postfordista.

– Per certe cose ci vuole il fisico.

Il commissario attendeva paziente il mio ritorno a una forma piú umana ripulendo coscienziosamente un vasetto di yogurt magro al naturale. Entrarono due ragazzotti indiani. Il barman s'irrigidí. Chiesero una birra. Il barman li serví in bicchieri di carta. I due bevvero in silenzio, pagarono e uscirono.

– Certe volte me guardo 'ntorno e nun riconosco piú la strada dove so' nato, – sbuffò l'uomo, gettando i bicchieri nel saccone della spazzatura con aria disgustata.

Del Colle e io sgattaiolammo via senza concedergli un brandello di solidarietà. Il popolo dell'Esquilino ondeggiava tra tolleranza e brutalità. C'era chi organizzava concerti in piazza con le comunità di immigrati e chi proponeva screening di massa per gli untori di colore. Avevo personalmente preso parte a un paio di assemblee pubbliche organizzate dal Comitato di quartiere, quando un consigliere circoscrizionale della Destra aveva proposto la chiusura del *Sun City*, «notorio covo di prostituzione e di vizio».

Poi era venuto fuori che il figlio del consigliere circoscrizionale era uno dei leaderini del centro sociale che di tanto in tanto si riuniva da Rod. Il ragazzo, oltretutto, aveva una storia con una profuga della Sierra Leone. L'ansioso genitore, per salvare la faccia, aveva concluso che, in fin dei conti, i negri dànno meno fastidio degli slavi. Tutto si era risolto con una ricca bevuta. L'immigrazione in Italia era al tre per cento e la gente si sentiva assediata. Pensavo con un brivido a quello che sarebbe potuto accadere se fossimo arrivati ai livelli di Parigi o di Londra.

Dopo la breve sosta gastrica, il commissario, che evidentemente aveva deciso di dedicarmi una sostanziosa fetta del suo prezioso tempo, mi condusse, a bordo di una Toyota che aveva conosciuto tempi migliori, in un circolo privato in riva al Tevere dove, grazie alla sua protezione, finsero di non accorgersi del mio aspetto devastato. Cacciato a forza in una sauna a novanta gradi, sudai via la sbornia, il fumo, il ronzio nelle orecchie e tutti gli altri cacodemoni che avevano invaso la mia logora carcassa. Infine, dopo che una sorridente sartina miss Dolce&Gabbana mi ebbe resa la giacca perfettamente stirata e smacchiata, davanti a un sobrio caffè nero Del Colle mi mise di fronte a quelle due o tre cose sul mondo che ancora non mi erano del tutto chiare.

– Il vecchio Alga-Croce ha fatto un casino con il questore. Il questore ha fatto un casino con me. Il sostituto procuratore ha minacciato di aprire un'inchiesta sulla fuga di notizie. A quanto pare, persino l'ultima dimora del nostro povero Al doveva restare riservata. A quanto pare, lei è andato in giro facendo domande indiscrete. A quanto pare, gli Alga-Croce sono una famiglia molto in vista...

– A quanto pare, – ribattei, risentito, – la polizia è molto sensibile alle famiglie in vista.

– Sapesse quante volte mi viene la tentazione di mollare tutto.

– E perché non lo fa, allora?

– E lei?

– Ma io sono fuori dal gioco da una vita! Anzi, se proprio devo essere sincero, ho l'impressione di non aver mai cominciato a giocare.

– Balle. Lei ci crede, come ci credo anch'io. È questo che ci frega.

– Della serie: il rispetto di noi stessi, non arrendersi, questo mestiere ingrato comunque qualcuno deve farlo...

Il commissario sbuffò.

– Bruio, io ho smesso di nascondermi dietro l'ideologia quando ho capito che era il rifugio dei mediocri. E vuol saperne un'altra? Questa melassa inzuppata di ironia e disincanto che ci fa sembrare tutti pallide controfigure del vecchio Humphrey Bogart... be', mi ha rotto. Guardi, io sono certo che non farò mai carriera. Ma sa che cos'è che mi frena? La paura di non essere all'altezza. È cosí che uno si tira indietro... e gli imbecilli si fanno classe dirigente. Siamo dominati da persone che non hanno un grammo delle nostre capacità. All'inizio sono tutti gentili, fanno i piacioni, non so se ha presente il tipo...

– Altroché! Il trionfo del venditore di automobili.

– Sí, proprio quello. Sono bravissimi a conquistare

la tua fiducia, poi, piano piano, rivelano il vero volto... sempre piú sfacciati, arroganti, senza freni. Impongono i loro miti da quattro soldi e se non li segui non se ne fanno una ragione. Non possono accettare l'idea che qualcuno sia diverso da loro. E noi ogni giorno ci tiriamo un po' piú indietro e consegnamo loro un altro pezzetto di mondo.

Lo presi per un braccio. Fraternamente.

– Sul serio, Del Colle. È un altro trucco del venditore di automobili. Ti fanno sentire responsabile di non essere un uomo di successo. Ti fanno credere che è colpa tua se sei incapace di afferrare tutte le delizie che l'Occidente ti mette a disposizione. È la vecchia storia che i poveri sono segnati da Dio...

– Comincio a credere che ci sia del vero.

– Ma non diciamo fesserie! La verità è che né lei né io vogliamo sporcarci le mani. Ogni giorno, in ogni momento. E il segreto del successo è uno soltanto: mani lerce!

Restammo per un po' in silenzio. Non avrei saputo che rispondere. Il mio silenzio era pieno della dolce curva del collo di Giovanna. Di un desiderio lancinante. Poi il commissario mi tese la mano.

– Finché porto questa divisa, io devo sottostare agli ordini. Ma lei... lei è un uomo libero, avvocato; vada avanti. Ho l'impressione che ci sia ancora molto da scavare, in questa storia.

Il *Sun City* era sbarrato. Recuperai la Honda e me ne tornai al complesso Prattico con un cartone di pizza e un paio di birre. Il telefono di Rod suonò a vuoto tutta la mattina. L'utenza di Giovanna era riservata, cosí cercai Zaphod, l'Uomo per il Quale Ogni Segreto è un Oltraggio. Ma Zaphod era in giro a combinare guai chissà dove. Decisi di stendere la memoria difensiva per il Consiglio dell'Ordine. Mentre pigiavo sui tasti del mio vecchio Pc, sullo schermo si veniva dipingendo l'ineffabile faccia di merda del collega Ponce del Canavè. Ciò di cui avrei avuto bisogno era: lucidità espositiva, correttezza formale, adeguatezza di tono e di stile. Partorii, ovviamente, una sconclusionata filippica improntata a un irritante moralismo. E ovviamente c'era dentro tutto Valentino Bruio.

15.

Spettabile Consiglio dell'Ordine, onorevoli consiglieri,

so che vi aspettate, da parte mia, una lettera di scuse o quanto meno di giustificazione, e so che sareste enormemente sollevati se mi risolvessi a scriverla. La dura fatica del decidere ne sarebbe alleggerita. E, particolare di non scarso rilievo, la mia posizione ne risulterebbe notevolmente avvantaggiata. Sono al corrente, tra l'altro, delle trattative che, a mia insaputa, l'ottimo amico Mauro Arnese ha condotto. So che un piccolo segnale da parte mia verrà benevolmente interpretato dalle S.V. So che tutto, insomma, lascia prevedere che, ove accettassi di piegarmi alle forche caudine dell'umiliazione, il lieto fine sarebbe assicurato.

Bene. Potete scordarvelo. Questo favore non ve lo faccio. Se avete deciso di sbattermi fuori, fatelo pure. Ma assumetevi almeno le vostre responsabilità. Volete dare ragione a Ponce del Canavè? Accomodatevi. Ma non contate sulla complicità, reale o presunta, della vittima predestinata. Rispetto dei ruoli:

al boia la scure, al condannato il ceppo.

Capisco che, dopo un esordio del genere, vi starete domandando: ma allora questo scemo perché non la pianta qua e ci fa risparmiare un po' di tempo?

Eh, no. No, signori. Queste righe io ho il dovere di scriverle. Me lo impongono la memoria di un povero innocente, di sua madre, abbandonata chissà dove, nel vicino Oriente o in una metropoli altrettanto indifferente come questa, e il rispetto che, nonostante Ponce del Canavè, il giusto processo e quant'altro, mi ostino a portare al concetto di giustizia.

Quella che mi accingo a esporre è una storia lunga e triste. Una vicenda di inferriate e catene che inizia nella suburra del mio piccolo studio in via Casilina 333 (per gli esperti di cose romane: complesso Prattico), si sviluppa nelle alcove barocche dove *la jeunesse dorée* capitolina consuma la propria tediosa e vana adolescenza, si conclude nelle confortevoli aule del tribunale, dove si è celebrata, piú che la mia personale e prevedibilissima sconfitta, una completa débâcle del senso di umanità.

L'antagonista è, come tutti sapete, Maurizio Ponce del Canavè, d'ora in avanti convenzionalmente definito «il carogna». Per quanto vita, esperienze, amori, successi e rancori del carogna siano a voi tutti ben noti, gioverà ricordare, in questa sede, qualche particolare della biografia del predetto. Come ben sapete, il carogna nasce come legale di fiducia del Soccorso rosso negli anni delle c.d. stragi di Stato. Ricordate la bombetta a piazza Fontana? Ricordate Brescia, piazza della Loggia? Be', lui, all'epoca, era un giovane professionista che militava nei ranghi dell'estrema Sinistra e stava con le vittime. Denunciava il complotto. Incalzava i felloni. S'incatenava davanti al Palazzo di giustizia per protestare contro i continui spostamenti di competenza con cui la Suprema corte cercava di procacciare a spioni deviati, generali corrotti e *grand commis* dalla proverbiale avidità il foro piú malleabile. Un leone del garantismo. Un titano della giustizia al servizio dei deboli. Condannato per vilipendio delle Forze armate. Querelato decine di volte da corrotti e stragisti. Trionfalmente portato in Parlamento da un'alleanza Psi-Psiup-Pci nel cuore dell'Emilia rossa. Eletto una seconda volta. A nemmeno quarant'anni, un faro del progressismo. Per me, allora giovane praticante, quasi un mito in carne e ossa.

Poi, la metamorfosi. Preceduta da un'eclissi di breve durata: quattro, cinque mesi, se non vado errato. E il carogna lo ritroviamo improvvisamente alla corte dei socialisti rampanti, quelli dei nani&ballerine, per intenderci. Piú che un salto della quaglia (al quale, si vociferava, non era estranea la decisione dei vertici del partito che gli avevano preferito, nel delicato ruolo di responsabile dei problemi dello Stato, un nemico personale), una conversione dell'innominato di manzoniana memoria che, negli anni a venire, avrebbe assunto i toni di un *epos* omerico. Tutto comincia con un memorabile editoriale sull'organo dell'ex borghesia illuminata. Un lungo articolo dal titolo *Mani rosse sulla giustizia*. In questo preclaro scritto composto da un paio di centinaia di dottissime righe, la carogna rivela di aver scoperto infine «l'inganno marxista che mi aveva accecato quando, giovane e ricco di speranze, avevo consacrato alla causa delle garanzie la mia esistenza». Ma ora, fortunatamente, Saulo ha visto la luce, e «la cappa del conformismo culturale marxista è caduta, squarciando il velo dell'orrore che la dittatura illiberale ha imposto sul secolo piú sfortunato».

Va da sé che da quando «il carogna» ha traghettato la sua conclamata abilità professionale sul versante dei ladri di Stato, dei manager corrotti, dei mafiosi in guanti gialli (anche di quelli che non hanno mai seppellito la lupara, peraltro) e di tutte le vittime della congiura rossa, un'ininterrotta teoria di trionfi ha segnato la sua carriera. E si parla di lui come di un possibile ministro della Giustizia. Giustizia! Mah. Ho voluto ricordarvi tutto questo perché sia chiaro che quando il carogna e io parliamo di giustizia ci riferiamo a cose diverse.

E torniamo a noi. Torniamo alla tenebrosa vicenda che ci occupa. Voglio parlarvi di una ragazza somala di nome Jaimilia. La sua colpa? Aver bussato alla mia porta una notte di primavera per narrarmi, in un italiano struggente e inquieto, il suo amore finito male. Un amore come tanti, direte voi.

Asservita alla nobile schiatta del marchese Riboldi (acciaierie e miniere, sedici assoluzioni e otto prescrizioni da frodi fiscali), l'allora fresca maggiorenne Jaimilia era stata sedotta e resa madre dal coetaneo marchesino Eugenio, partorendo, dopo breve travaglio, un ranocchietto mulatto cui era stato imposto, in omaggio all'avo, il nome di Xavier. Il frutto della colpa, allo scopo di tacitare il potenziale scandalo, era stato affidato a un istituto di assistenza gestito da religiose. Visitai quell'opera pia, e feci la conoscenza di suor Goebbelsia, suor Gheringhia e suor Desadia e di una pletora di premurose operatrici laiche che si affannavano a denutrire il misero cucciolo, ufficialmente rinvenuto esposto innanzi al portone del rinascimentale palazzo Riboldi.

Lo chiamavano affettuosamente Giovedí: perché è di giovedí che la servitú straniera si riversa per le vie di Roma, e certo, si argomentava, il pargolo non poteva che essere stato concepito in quel giorno.

Con grande generosità, il marchese padre aveva offerto alla somala un biglietto di sola andata per il natio borgo selvaggio e un paio di milioni per le piccole necessità.

Ma Jaimilia voleva il bambino. Dietro mia insistenza, lo confesso, intraprendemmo l'azione per il riconoscimento della paternità.

Immagino le grasse risate che echeggiarono nello studio del carogna, assurto, nel frattempo, a notorietà anche come rotista. La Sacra Rota, signori del Consiglio, dove i ricchi credenti pentiti si confessano impotenti o bacati nel consenso originario allo scopo di ottenere l'annullamento del «sacro e indissolubile vincolo matrimoniale». Immagino le bellicose minacce: gliela facciamo vedere a quello straccione di via Casilina!

Per prima cosa, il marchesino padre, improvvisamente tornato affettuoso e partecipe su mandato del carogna, scortò Jaimilia da un ginecologo di fiducia. In realtà, si trattava di sottoporre la ragazza a un «piccolo intervento» del genere assai in voga tra le damine ricche di fede e di trascorsi turbolenti che desiderano convolare a giuste nozze senza l'onta di spiegazioni imbarazzanti: la ricostruzione dell'imene. Perché, dovette pensare l'arguta carogna, se la ragazza risulta vergine, o è la Madonna, eventualità sicuramente da escludere per ragioni razziali, o il figlio non può essere suo.

Riuscii a intervenire prima che l'ago compisse la sua opera. Mi riportai la ragazza a casa. Ottenni il permesso di visitare il bambino.

A quarantott'ore dalla prima udienza la polizia notificò a Jaimilia il decreto di espulsione dallo Stato «per motivi di ordine pubblico». Potenza della famiglia, o, se preferite, di una famosa loggia alla quale sia i Riboldi sia il carogna risultano allegramente iscritti.

Con l'aiuto di amici che mi avvalgo della facoltà di non nominare, Jaimilia fu condotta in luogo sicuro e ivi custodita sino alla famigerata udienza. Ma il cianotico presidente che profumava di violetta e chiamava il carogna «il nostro caro Maurizio» non mi fece neanche aprire bocca. Jaimilia fu rapidamente consegnata ad altri agenti, tempestivamente convocati. Era presente un rappresentante del vostro Consiglio, come ben sapete: il primo dei cinque esposti presentati dal carogna era già pervenuto e voi vi eravate mossi con una rapidità degna di miglior causa.

Jaimilia fu scortata alla frontiera (procedura che non mi consta venga mai attuata nei confronti di mafiosi russi, killer albanesi, pusher nigeriani e via dicendo), non senza avermi raccomandato il piccolo Xavier. Le promisi che avrebbe ottenuto giustizia. Avrei dovuto sapere che stavo mentendo. Tre giorni dopo una provvidenziale polmonite rapí a un cielo, spero meno nero delle nostre anime occidentali, l'indesiderato bambino. La domanda di riconoscimento della paternità fu dichiarata inammissibile.

Confesso, poiché il punto credo abbia una certa rilevanza

per la decisione che state per prendere, di aver scientemente, deliberatamente tentato di alterare i connotati del mio rivale. Ma anche come pugile lascio molto a desiderare, visto che non sono riuscito a conseguire l'intento che mi ero proposto: modificare in maniera irreversibile la struttura ossea della carognosa faccia del carogna.

Chiedo infine che, qualora m'occorresse d'imbattermi nel predetto carogna nelle sordide aule comunemente frequentate, mi sia risparmiato quel suo gesto confidenziale da gran signore che sa essere generoso con i vinti, e che consiste nell'allargare le braccia, rivolgere uno sguardo al cielo e sospirare: «C'est la règle du jeu, mon ami!»

A me questo gioco non piace. Trasuda sporcizia.

Valentino Bruio, avvocato.

In quel preciso istante bussarono alla porta.

16.

I capelli raccolti in una sorta di casuale chignon, gli occhi che, senza un filo di trucco, mostravano segni di una stanchezza inquieta, Giovanna non mi era mai sembrata cosí bella. Lievemente accaldata, le guance imporporate, avanzò esitante, celando lo sguardo dietro grandi lenti a specchio.

La vidi aggirarsi incuriosita e imbarazzata nel disordine della mia privacy. Pensai che sarebbe stato bello invecchiare insieme. Frugò nella borsetta, accese con un minuscolo accendino un cigarrillo Davidoff, ne aspirò due boccate nervose prima di schiacciarlo in un posacenere traboccante di mozziconi di toscani. Ogni suo gesto, anche il piú insignificante, sprigionava classe e una naturale leggerezza. Giovanna che scivola leggera sulla vita. Rigò con una ditata discreta il piano della scrivania, sollevando una traccia di polvere. Compassionò i ragnetti, i libri, le pandette, il ventilatore, il divano ordinario, il Pc, e finalmente i suoi occhi si posarono sulla star dello scenario: me. Sedemmo uno di fronte all'altra. Era bella. Non sarebbe mai stata mia. Taceva. Tutto questo mi faceva rabbia.

– Se vuole rimproverarmi per la mia curiosità, – esplosi aggressivo, – si risparmi la fatica. Ha già provveduto nonno Noè.

Si tolse gli occhiali. Aveva gli occhi arrossati, un po' incattiviti. Come il preannuncio di una crisi di pianto.

– L'altro ieri, – disse brusca, – è stato un tuffo al

cuore. Per un attimo ho pensato a quello che la mia vita poteva essere e non è stata. Ho pensato che tu potevi essere l'ultimo metrò.

Provai un'emozione violenta. Giovanna era passata al tu. Ma perché quel gioco crudele? Lei era di un altro; non capiva che cosí facendo mi lacerava il cuore?

– Giovanna, io...

– No, ti prego, non dire niente. Eri trasandato, quasi lacero, e dondolavi le gambe come un adolescente in piena tempesta ormonale... Dio, che voglia di abbracciarti che ho avuto! Poi, dopo, al party... come ci ballavi, dentro quel completino da barbiere che sembrava una parodia malriuscita dei costosissimi abiti dei miei amici.

Scosse la testa e tornò a inforcare le lenti.

– Ma è stato solo un momento... come tanti anni fa. Poi gli altri mi hanno urlato nelle orecchie, mi hanno ricordato chi sono, quali sono i miei doveri... Come allora.

Lanciai un'occhiata panoramica sullo studio. A me andava bene cosí. Ma non potevo pretendere che polvere, ragni e miseria fossero considerati il massimo dal resto dell'umanità.

– Perché io... io ho creduto che tu fossi venuto alla festa per rivedermi; solo per me, capisci? E invece, era per quella stupida indagine che...

– Stupida indagine! – Risi, amaro. – Un nero che lavora da te viene ammazzato e tu la chiami stupida indagine? Mi dispiace che il tuo signor padre se la sia presa tanto. Sai, ho questo brutto vizio: cerco la verità.

C'era ironia nel suo sguardo? O come una dolorosa rassegnazione? E io? Da dove mi veniva fuori tutta quella retorica? Le piacevo, chiaro. Perché non mi gettavo ai suoi piedi? Perché non la prendevo tra le braccia, e al diavolo tutto il resto?

– Ma è stato bello rivederti, Valentino...

– Tu non sei innamorata di Poggi, – dissi, in tono volutamente neutro.

– Non si tratta di amore. Lui è un uomo di valore, mi vuole bene. Poi abbiamo un debito di riconoscenza nei suoi confronti.

– Ah, matrimonio per riconoscenza. Cos'è, l'ultimo *must* della classe dirigente?

– Facile fare dell'ironia! – ribatté lei, il volto improvvisamente duro. – Tu non hai sulle spalle il peso di una grande famiglia.

– Di bene in meglio: figlia devota e madre esemplare! E io che credevo che certe virtú si fossero estinte con Cornelia... quella dei Gracchi.

Ora i suoi occhi chiedevano sangue.

– Tu sei piccolo, Bruio, un piccolo borghese in mutande. Per te è semplice blaterare di libertà, di uguaglianza, di ricchi e poveri... non hai niente da giocarti, tu.

La madonna ferita si trasformava in pantera. E al volto di Giovanna si sovrapponeva quello del vecchio Noè. Il cortese, squisito gentiluomo che gabellava il Chivas per il nettare della vita. Gli avevo persino regalato i miei unici Cohiba. I ricchi ti fregano sempre, maledizione. E Giovanna? Com'era stata fregata, Giovanna? Quando? E da chi? Stavo sbagliando tutto con lei.

– Perché non dài un calcio a tutto questo? – sussurrai, spingendomi pericolosamente vicino. – Se solo provassi a spezzare la catena...

– Abbiamo già dato, avvocato Bruio, – disse in fretta, ritraendosi. – Il tempo si è preso la parte migliore di noi e ci ha restituito solo amarezze. Fattene una ragione: non gliene frega niente a nessuno del tuo negro morto.

– Bisognerebbe essere ibiscus, Giovanna. Vivere un

solo giorno. Allora sí che l'eternità sarebbe un inestinguibile mare di splendore.

Lei si era alzata. Puntava decisa alla libreria. Passò in rassegna gli scaffali finché il suo sguardo non si posò sul libro giusto.

– Dove sono spariti i bei tempi? – declamò, la voce triste. – Di quand'ero giovane, intelligente, vivace. Le mie ambizioni, i miei pensieri erano generosi, il presente e l'avvenire pieni di promesse...

Ma Čechov non parlava di lei... Giovanna chiuse di colpo il libro. Il suo buffo cenno di saluto strideva con la mestizia di qualche attimo prima.

– Ciao, avvocato, pensaci.

Dio, anche l'uscita da prima attrice! Era decisamente troppo.

– Un'ultima cosa, Giovanna. Non invitarmi al tuo matrimonio. Non saprei cosa mettermi.

Mi tuffai in un mucchio di fatture insolute e ampiamente prescritte. Le conservavo per mero feticismo autocommiseratorio. Al *Sun City* c'era un gruppo zulú che rifaceva vecchie cover di Miriam Makeba e Johnny Clegg. Al *Nuovo Sacher* di Nanni Moretti avevano rimesso in circolazione *L'infernale Quinlan* del vecchio Orson. Erano anni che desideravo rivedere su grande schermo il mitico piano-sequenza iniziale. I pomodori di Vincenza erano una prova inconfutabile dell'esistenza di Dio. All'ippodromo di Tor di Valle correvano i cinque anni dell'avvocato Arnese. La vita valeva comunque la pena di essere vissuta. Con o senza Giovanna Alga-Croce.

Restava il caso-Al, ma forse ero stato prescelto per spalancargli i cancelli del cielo con la mia intima sofferenza. Quando rialzai lo sguardo lei era ancora là, e si passava il rossetto. Capii finalmente che la madonna era attraversata da una vena di delirio. D'altronde, in tutta la mia vita avevo amato solo delle pazze, e Giovanna non poteva fare eccezione. Poi, chi se non una pazza poteva trovarmi attraente?

– Ti aspetto alle otto e mezzo al *Bar della Pace*, – ordinò, imperiosa. – Beviamo un aperitivo, poi ceniamo insieme.

C'era un cupido rosa che sghignazzava carognescamente alla finestra. E nella stanza aleggiava un vago sentore di arcadia e di artifizi e raggiri che mi stava dando alla testa.

– Allora siamo intesi. E non sforzarti di vestirti da fichetto. Non me ne frega niente.

Lasciai che scivolasse fuori del mio campo visivo senza trovare il coraggio per mettermi a urlare come un cane alla luna.

17.

Orrore nel Nordest. Non erano stati gli slavi a uccidere la mamma e il figlioletto, ma l'altra figlioletta insieme al fidanzatino. Annullata in tutta fretta la marcia antimmigrazione, il sindaco invoca per i due giovani assassini la pena di morte. Secondo i giudici dei minori: rischiano il perdono. A *Porta a porta* si discute della crisi della famiglia. Severo monito del Papa: genitori, rispettate i vostri figli; figli, rispettate i vostri genitori. Un magistrato di Asunción denuncia un traffico di organi di bambini tra il Paraguay e gli Stati Uniti. Ma l'Unesco: si tratta solo di una leggenda metropolitana. Ammessi al lavoro esterno fuori dal carcere, i terroristi neri Giusva Fioravanti e Francesca Mambro, che da sempre si proclamano innocenti, stanno preparando un libro di memorie. Statistiche: il novantotto per cento delle donne si masturba. Solo il venticinque per cento lo fa all'interno delle pareti domestiche. Il restante settantacinque per cento preferisce bar, cinema e luoghi di lavoro. Procedono le trattative tra la Rai e Pietro Taricone: quasi certamente la star del *Grande fratello* condurrà un talk show in prima serata.

Sulla foto sorridente dell'orgoglioso archetipo del Giovane Italiano postduemila, ripiegai il giornale con un moto di stizza. Erano le nove passate, una morsa d'inquietudine mi attanagliava il plesso solare, giacca e camicia formavano un unico blocco di sudore con la schiena, comitive di ragazzi frenetici e quarantenni in tiro si spostavano da un locale all'altro, politici in doppiopetto e attori di belle speranze si organizzavano la seratina al cellulare, turbe di single sciamavano verso i notturni progressivi slittamenti del piacere. Giovanna non si vedeva.

Ripassai per l'ennesima volta davanti alle compagnie scanzonate che s'aprivano a fatica un varco nella fitta coltre di scirocco e benzene. Ragazze flessuose come modelle che elargivano generose prospettive ombelicali. I loro biondissimi partner che si tuffavano in variopinti cocktail fruttati. Una sinfonia di bellezza persino eccessiva. Aggirai il chiostro di Santa Maria della Pace disposto a disperdermi nelle viuzze del centro. Giovanna la madonna pazza, la ricca delirante, Giovanna che mi prendeva in giro, Giovanna che giocava crudelmente con i miei sentimenti. Accesi un sigaro contro un lampione accerchiato di scooter. C'era una fontanella. Qualcuno ci aveva scritto sopra, con il pennarello nero: SI BRUCIANO ZINGARI, SI SCUOIANO NEGRI. RIVOLGERSI A NAZI-SPA-GROUP. SI GASANO EBREI (SOLO A PAGAMENTO). La new economy, pensai: il mercato che va incontro ai bisogni profondi della gente.

Poi ci furono lo stridio dei freni, la lama di luce, il grido del bambino. Nicky Alga-Croce mi stava osservando, divertito, come fossi il suo nuovo giocattolo.

– Che ci fai tutto solo? Dài, vieni, il nonno vuole che stai a cena con noi!

Mi avvicinai alla limousine nera. Al volante, nella divisa che era stata di Latif, sedeva un perfetto sconosciuto che si sfiorò il berretto indicandomi il sedile posteriore. Nonno Noè sorrideva affabile e mi porgeva un Hoyo de Monterrey Epicure # 1.

– Giovanna la prega di scusarla, ma è stata trattenuta da impegni inderogabili. Vuol dire che ne approfitteremo per scambiare quattro chiacchiere tra uomini.

Accettai ingrugnato l'invito. Accettai persino il sigaro, un ben modesto risarcimento per il bidone di Giovanna. Durante il percorso che doveva condurci a un ristorante sulla Flaminia, Nicky mi raccontò, tutto eccitato, di aver appena visto *L'impero colpisce ancora*.

– Chi ti piace di piú? – chiesi. – Han Solo o Luke Skywalker?

Confessò, tra orgoglio e vergogna, che teneva per Darth Vader: lo aveva colpito la rassomiglianza dell'attore con nonno Noè. Fenomenale, poi, la scena in cui si scopre che il malvagio e l'eroe sono padre e figlio.

– Ah! – esclamò il vecchio. – L'eterna, intricata, ambigua sfida tra il bene e il male...

– Poi, – incalzò Nicky, – secondo me dopo il papà diventa buono.

– Nella vita non succede quasi mai, – filosofò il nonno, scompigliando teneramente i capelli del piccolo.

Cenammo senza sfiorare argomenti imbarazzanti. Il vecchio si dava un gran daffare per farmi superare la delusione dell'assenza di Giovanna. E malgrado tutto, non potevo fare a meno di trovarlo simpatico. La dolcezza di Nicky, i rigatoni all'amatriciana, il filetto al pepe verde, la bavarese ai mirtilli, il tutto annaffiato da una considerevole Ribolla e da un estasiante Brunello, e alle undici, pressoché ubriaco, mi sentivo decisamente piú riconciliato con il mondo e persino riconoscente verso il mio ospite. Il quale, dal suo canto, mentre Nicky si ingozzava di patatine fritte e hamburger, in tutta la serata si era concesso unicamente un filetto di cernia al vapore e un mezzo calice di rosso. Quando Nicky prese sonno, la testa appoggiata alle ginocchia del nonno, accendemmo i sigari e passammo al whisky.

– Cosí dovrebbe trascorrere la vita di un uomo, – sospirò il vecchio. – Nell'innocenza, nel sonno tranquillo popolato d'immagini colorate e di pace, nel calore confortante degli affetti... Credo, – aggiunse, improvvisamente cupo, – che questa storia del peccato originale sia una colossale fregatura.

Mi proclamai completamente d'accordo. Il vecchio sembrò ignorare il mio entusiasmo bacchico. Seguiva il filo dei suoi pensieri, poco disposto a lasciarsi interrompere. Dovevano esserci stati molti monologhi nella sua lunga vita.

– Pagare per le colpe dei padri... Io lo trovo antieconomico. Dio è stato ingiusto con l'umanità. Qualunque debito si prescrive entro un ragionevole lasso di tempo. Non si può pretendere che ogni generazione sia chiamata a rinnovare sempre lo stesso sacrificio. Ho fatto molte cose nella mia vita... quasi tutte giuste, dal mio punto di vista. Che non sempre coincideva con quello dei miei simili.

– A chi lo dice!

– Per alcune delle mie azioni, – riprese, scoccandomi un'occhiata infastidita, – stenterei io stesso a individuare il giusto castigo... Cose riprovevoli, mi creda. E invece, guardi la giustizia divina! Sono ancora qui, una roccia che non si spezza, e sono ancora in grado di soddisfare una donna.

Annuii. Sbronzo, e pure disposto a condividere i profili piú turpi della complicità maschile. Ma Alga-Croce aveva smesso di prendermi in considerazione.

– Tuttavia, sono vecchio. Questo è un dato obbiettivo. Potrei mancare da un momento all'altro. Se penso alla mia famiglia ho bisogno di assicurarmi un reggente, in attesa che Nicky diventi adulto e sia pronto a prendere il mio posto. Un uomo. Cosí a un certo punto spunta fuori il professor Poggi... gran testa di cazzo.

– Definizione perfetta, – dissi sordamente. – E che mi dice di quel suo tirapiedi, il russo, come si chiama...

– Petrovic, – suggerí il vecchio, che ora era tornato consapevole della mia presenza.

– Lui. Ha l'aria del killer, sa?

– Non lo sottovaluti, avvocato. Tra Petrovic e Poggi, in caso di scelta, non avrei dubbi. Il russo... che tra l'altro, per la precisione, è ucraino... è un uomo con le palle. Sa che era colonnello dell'Armata rossa? Poggi, invece, sa fare una sola cosa: tagliare e ricucire. Lo fa bene, benissimo, ma per il resto... l'ho sempre ritenuto un cane da salotto. Tutto sommato, quel che occorre per mantenere una decorosa apparenza sociale. Ma ora... ora ho la precisa sensazione che quel signore voglia travalicare i limiti del suo ruolo. Non ha ancora capito che i Poggi passano e gli Alga-Croce restano.

L'improvvisa energia con la quale aveva pronunciato quest'ultima frase fu una salutare doccia gelata per il mio cervello annebbiato. Ora tutta questa strana, irreale situazione assumeva finalmente un senso. Il vecchio cercava di mandarmi un segnale. Ma che segnale? E a che scopo? Stavo cercando di inserirmi nel discorso quando la sua mano ossuta mi artigliò il polso. Il suo sguardo terribile mi metteva a disagio, ma avvertivo, confusamente, la necessità di sostenerlo. Sentivo di essere l'oggetto di uno studio spietato. Era come se fossi sottoposto a una prova senza appello.

– Veniamo a lei, avvocato. Sono quasi convinto che sia davvero un puro. Ciò che mi sconcerta è la sua mancanza di ambizioni. Possibile, mi dico, possibile che... Voglio raccontarle un aneddoto –. Ora il tono era tornato gaio e salottiero. – Una volta mi invitarono per una conferenza all'Università di Heidelberg. C'era un pubblico di addetti ai lavori e di intellettuali incuriositi dagli arcani della politica economica... non mancano mai, sa, gli intellettuali ansiosi di finire su qualche sostanzioso libro-paga... Bene. La star della serata era un candidato al premio Nobel. Uno scrittore già famoso, molto amato dai giovani per le sue posizioni radicali. Ha presente il '68, tutte quelle stronzate, l'immaginazione al potere... vedo che mi segue. Bene. Siamo alla fine della conferenza e questo signore viene a complimentarsi con me. In senso ironico, è ovvio. Mi disse che era rimasto stupefatto dal cinismo che irradiavano non tanto le mie parole, quanto la mia stessa persona. Era spaventato da quello che definí «il piú puro, assoluto vuoto d'ideali nel quale mi sia mai capitato d'imbattermi». Torna la purezza, come vede. E volle raccontarmi una sua storia. Stia a sentire: un ricchissimo industriale incontra un pescatore in riva al fiume. «Che fai?» gli chiede. E l'altro, asciutto: «Pesco». E l'industriale: «Lo vedo, ma quando hai finito di pescare?» «Vado a casa e ci dormo su». E l'industriale, di rimando: «Capisco, ma... e domani?» E il pescatore: «Stessa cosa. Domani come ieri, come oggi, come tutti i giorni dell'anno, e se mi gira anche la domenica e le altre feste comandate: pesco, poi ci dormo su». L'industriale non crede alle proprie orecchie. «Ma ti diverti?» domanda. Il pescatore lo squadra e fa spallucce: «C'è pace, e vivo tranquillo, poi a me basta cosí poco... e tu che fai per vivere?» Quello, che non vedeva l'ora, si lancia in un'appassionata descrizione della sua vita frenetica. I viaggi, gli affari, gli intrallazzi e le tangenti ai politici, una donna diversa ogni sera, le sedute di consigli d'amministrazione, gli utili, il conto profitti e perdite, la paranoia di una crisi in Borsa, l'adrenalina che pompa a mille quando stai per rovinare il tuo diretto concorrente, l'onnipotenza del denaro... Alla fine dell'orazione, il pescatore accende con lentezza esasperante la sua pipa e domanda: «E dopo, quando hai finito con tutto questo lavoro, che fai?» L'industriale, come fosse la cosa piú ovvia di questo mondo, replica: «Allora prendo la canna e mi metto in riva al fiume ad aspettare i pesci... perché c'è pace, silenzio, e nessuno che mi rompa l'anima». Il pescatore si alza, ritira la lenza e lo contempla con l'aria di commiserarlo. «Quante storie», dice. «Io non ho bisogno di dirigere fabbriche e di pilotare aerei perché nessuno mi rompa l'anima. Io vengo qui a pescare quando mi pare e piace. Faccio assai meno fatica di te e sono molto piú felice. Altro che ricchissimo industriale: tu non sei che un pover'uomo».

Il vecchio si fermò per rifiatare. Lampi d'ironia saettavano nei suoi mobilissimi occhi. Attesi che riprendesse a raccontare, ma lui, con un cenno deciso, mi invitò a prendere la parola. Toccava a me, dunque.

– Edificante, – borbottai. – Ma un po' finto. Una volta, da ragazzo, sono stato iscritto a un movimento politico. C'era sempre qualcuno che si affannava a spiegarmi che la mia opinione, l'opinione dell'ultimo venuto, aveva lo stesso peso di quella del segretario generale. Vecchia storia. Il pescatore è un miserabile con tante bocche da sfamare e una moglie che attende rassegnata il suo rientro. L'industriale, se ne ha voglia, può farsi costruire uno stagno privato e pescarci dentro tutti i pesci di questo e di qualunque mondo possieda. L'aneddoto del suo scrittore è una truffa bella e buona.

Alga-Croce scrollò il castelletto di cenere che si era formato al vertice del suo sigaro e aspirò due ricche boccate.

– Naturalmente, è quello che gli ho detto anch'io...

– Personalmente, – conclusi, – preferirei un finale diverso. Il pescatore strozza l'industriale, e mentre lo sta giustiziando gli spiega che è stanco di essere preso per i fondelli con questa storia dell'uguaglianza.

Il vecchio scoppiò a ridere.

– Finale per finale, gliene suggerisco uno io, avvocato. Lo stagno è bellissimo, una vera meraviglia della natura. L'industriale lo compera... altrimenti a che gli servono tutti i suoi soldi? E il suo primo gesto da padrone sa qual è? Caccia il pescatore. Via. I poveri disturbano!

– A quanto pare tra noi non c'è tutta questa grande sintonia.

– Lei è veramente un puro, avvocato –. Sorrise, quasi paterno. – Ma non se la prenda se mi permetto di darle un piccolo suggerimento dettato dall'esperienza e da qualcos'altro che vorrei definire simile alla stima.

– Mi lasci indovinare: si tratta di Giovanna...

Noè fece vigorosamente segno di no.

– Si tratta di lei, avvocato Bruio, di lei e della sua mancanza di ambizione. A costo di ripetermi, le dirò che è un difetto davvero intollerabile, specie se si ha un certo talento e una cosí grande disponibilità verso le chiacchiere di un vecchio eccentrico. Non disdegni, di quando in quando, di sporcarsi le mani; ciò farà di lei un uomo completo, cancellerà quell'aria da bamboccio che ogni tanto affiora... poi, di troppa purezza si può anche morire.

– Lei dice?

– Non s'immischi con quella plebaglia di colore. Si dedichi ad attività piú pratiche. Anstalten, holding, joint-venture... lasci perdere il passato, guardi avanti. Lei non può nemmeno immaginare quante meravigliose sorprese può riservare la vita.

Carezzò dolcemente la testina di Nicky. Il bambino si agitò piano nel sonno e si avviluppò in quel grembo protettivo.

– Bene, è tardi. Domani sarà una giornata dura. Quindi, non me ne voglia se mi vedo costretto a troncare qui questa piacevole conversazione. Marcus, il mio nuovo autista, le chiamerà un taxi. Quanto a noi, avremo tempo e modo per rivederci... almeno, me lo auguro.

Gli afferrai la mano. Non volevo lasciargli l'ultima parola.

– Dov'è Latif?

Il vecchio strinse i pugni, inferocito.

– Ma allora lei proprio non vuol capire! Che cosa vuole che me ne freghi della sorte di quel negro? Si è licenziato, ha avuto la sua giusta mercede e a quest'ora, con ogni probabilità, è già in volo verso la sua Africa.

– Allora, grazie per la squisita cena.

Carezzai anch'io la testa di Nicky e mi persi nel profilo rotondo delle guance: nella candida peluria alla base della nuca non c'era forse tanta di quella purezza da tacitare per l'eternità il vecchio squalo? Eppure, un giorno quell'innocente sarebbe stato l'erede degli Alga-Croce. E nessuna turpitudine gli sarebbe stata preclusa. Ero già fuori dalla sala del ristorante quando il vecchio mi richiamò.

– Bruio! Lo sa che quello scrittore finí poi per vincerlo, il Nobel? A suo modo, anche lui era un ambizioso. E a quanto pare si guardò bene dal devolvere il premio ai poveri pescatori.

Questa volta la sua risata metteva i brividi.

18.

Vincenza mi svegliò alle 7.30 con una tazza di caffè bollente che mi rimise al mondo. Per buona parte della notte avevo maledetto i distillati di cereali, il succo d'uva e un certo tipo d'olio scadente, probabilmente frutto di qualche frode comunitaria, che doveva costituire una notevole fonte di risparmio per i gestori del ristorante. Me la presi anche con Noè Alga-Croce: un miliardario ha almeno il dovere di frequentare ristoranti decenti.

La portiera contemplò con malcelato disgusto lo stato miserevole in cui avevo ridotto blazer e calzoni. Le spiegai che avevo salvato un cucciolo dalle fauci di un pitbull. Replicò che il fatto costituiva un'aggravante: era una vera fesseria rovinare roba di qualità per un randagio, oltretutto veicolo di chissà quali malattie.

Poi arrivò una telefonata. Una voce femminile aspra, dal forte accento meridionale.

– L'avvocato Bruio? Qui è la cancelleria della sesta Sezione penale...

– Sono in arresto?

– Spiritoso. Lei è nell'elenco dei difensori d'ufficio. Dovrebbe presentarsi con urgenza qui da noi.

– Ci sarò, signora, non dubiti.

– Dio sia lodato, – sospirò la voce femminile, questa volta con un certo rispetto.

Poverina. Chissà quanti rifiuti aveva collezionato, prima di beccare il disoccupato giusto.

Vincenza mi scoccò un'occhiata affettuosa.

– Povero avvocato, mettersi contro certa gente...

– Che gente?

– Il marchese, le suore... quella povera ragazza non aveva speranze! Cosí va il mondo! Pensi che c'è una bravissima figlia, qui al 351, si chiama Caterina, grande lavoratrice, avvoca'... Be', state a sentire cosa le capita.

Cosí Vincenza aveva sbirciato sullo schermo del Pc, che avevo abbandonato in fretta e furia dopo la visita di Giovanna. Giovanna! Mentre Vincenza, con il suo fare insinuante, prendeva a decantare le qualità dell'ennesima aspirante signora Bruio, provai a chiamarla. Segreteria telefonica. E io che non le avevo nemmeno chiesto il numero del cellulare.

A proposito di cellulare, persi un mucchio di tempo per ritrovare il mio, finito, chissà come, dietro la spalliera del letto. La batteria, ovviamente, aveva tirato le cuoia. Vincenza parlava, parlava. Parlò per tutto il tempo della doccia e della rasatura, stava ancora parlando della sua protetta («Quella vi sposa anche se non tenete una lira, dottore!») quando riuscii finalmente a congedarmi con un buffetto affettuoso. Mi concessi una rapida colazione da Franco lo Zozzone, e dal suo telefono a scheda chiamai il commissariato. Dal rispetto con cui ne parlavano, compresi che Del Colle doveva godere di notevole considerazione, nel suo ambiente.

Comunque, il commissario era fuori per servizio, e quando si offrirono di mettermi in comunicazione con Castello, mi affrettai a troncare la conversazione. Non avevo nessuna voglia di sorbirmi il suo prevedibile sarcasmo. Oltretutto, dall'altra parte del filo qualcuno canticchiava «e ti chiamerò | trottolino amoroso» mentre il juke-box di Franco, governato da una coppia di adolescenti accannati, vomitava un ingiurioso rap di

Eminem. Il contrasto delle fonti sonore non poteva essere piú evidente e sgradevole. Franco era un po' irritato con me. Erano settimane che non facevo colazione nel suo bar, e, quel che è peggio, si era venuto a sapere che da oltre un mese rincasavo da solo.

– Non è che me stai a diventa' frocio, eh?

– Non ci ho mai pensato, Franco, ma grazie per il suggerimento. Potrebbe essere una soluzione.

– Nun di' cazzate. A te te serve solo 'na brava ragazza.

E due. Subodorando congiure di quartiere, me la detti a gambe alla velocità della luce.

A Palazzo di giustizia si respirava aria di smobilitazione. Ancora pochi giorni e le ferie avrebbero decretato il pressoché completo black-out. La polvere danzava già indisturbata ai raggi del sole che penetravano dalle spesse vetrate delle finestre blindate per ragioni di sicurezza. Tutto sapeva di oscurità e di muffa. Rade pattuglie di colleghi si aggiravano per i corridoi dribblando i divieti di fumo sotto lo sguardo indifferente di commessi fumatori. Un gruppo di *machos* del Ros sghignazzava alla notizia del giorno: due poliziotte, una mora e una bionda, in servizio da pochi mesi, erano state beccate a fare marchette in un elegante albergo alle spalle di piazza Cavour. Le sventurate si erano difese allegando imprecisate ragioni di servizio e avevano passato la notte a Rebibbia femminile.

La sesta Sezione penale al gran completo – presidente, due giudici a latere, pubblico ministero, imputato e avvocato difensore, il collega Diaspro, un pezzo da novanta specializzato in narcotraffico – aspettava solo il sottoscritto. Il presidente mi mise al corrente della situazione.

– Si tratta di un duecentodieci. Il ragazzo non ha difensore di fiducia.

In altri termini, il «ragazzo», nella sua qualità di «imputato di reato connesso», poteva scegliere di parlare o di avvalersi della facoltà di non rispondere. Chiesi di conferire con lui. L'udienza fu sospesa. Mentre aspettavamo che la scorta conducesse il «ragazzo», Diaspro, quanto mai affabile, mi prese sottobraccio.

– Senti, Bruio, il ragazzo ha preso sei anni con l'abbreviato e in istruttoria ha accusato il mio cliente. Tu fallo stare zitto, poi ci mettiamo d'accordo.

– Ci mettiamo d'accordo?

– Chiaro. Se lui parla, il mio cliente è fottuto. Fallo stare zitto e qualcosa ne esce per tutti.

– Diaspro...

– Dimmi, carissimo.

– Fottiti!

Il «ragazzo» si chiamava Cennamo Giuseppe, aveva almeno quarant'anni, e a giudicare dal colorito giallognolo e dalla quantità di tatuaggi che esibiva orgogliosamente era un vecchio tossico incarognito con un bel po' di galera sulle spalle. Lanciò un'occhiata sarcastica all'imputato, un signore di mezz'età dall'aria decisamente distinta, e mi strinse la mano, piuttosto sospettoso.

– Quel pezzo de merda m'ha fregato... ma se voglio lo rovino!

– E tu che vuoi fare?

– Io c'ho famiglia... digli che per venti pezzi me sto zitto.

Cosí quei due gentiluomini filavano in perfetto accordo. *Do ut des:* tu paghi e io sto zitto. Giustizia. Mi bastava dire due paroline a Diaspro e qualcosa sarebbe uscita anche per me. Piantai Cennamo in asso e mi rivolsi al presidente.

– Non posso accettare l'incarico.

– Motivo?

– In altro procedimento sono stato parte civile contro l'imputato. Incompatibilità.

Era una balla grossa come una casa, ma i giudici non potevano saperlo, e si limitarono a prendere atto. Abbandonai l'aula inseguito dalle occhiate astiose di Diaspro. Mi ero appena fatto un altro nemico. Ma non era per fare queste porcate che avevo studiato da avvocato. Non era questa, la professione che mi ero scelto. E ancora una volta ero l'uomo sbagliato al posto sbagliato.

Da un telefono nell'atrio richiamai Giovanna. Ancora segreteria telefonica. Fui piú fortunato con il commissariato. Questa volta Del Colle c'era. Gli dissi che Latif si era licenziato. Promise che l'avrebbe cercato per interrogarlo.

– Ma non aveva le mani legate? – ironizzai.

– Non ora che il nostro amico non lavora piú per la ricca e potente famiglia Alga-Croce, – rispose, sarcastico.

A casa mi concessi una lunga doccia fredda, mi sdraiai sulle lenzuola che sapevano dell'ammorbidente al profumo di mango tanto caro a Vincenza, e dopo aver appreso da T.S. Eliot che la vita della rosa e quella del tasso hanno la medesima durata, mi feci vincere dalla seduzione dell'inevitabile pennica.

Chissà da quanto tempo bussavano alla porta. Mi svegliai intorpidito: attraverso le finestre filtrava una luce opaca dal cielo intasato di nubi. Andai ad aprire in slip e me la vidi davanti, senza un filo di trucco, e con un uno-due maglietta&calzoni neri che lasciava libero il suo seducente ombelico. Giovanna si godette con un sorrisino indecifrabile il mio sudaticcio imbarazzo e andò a sedersi sul letto, mentre io mi trinceravo dietro la scrivania affrettandomi a indossare una camicia decente.

– Ieri sera...

L'avevamo detto in contemporanea. Ridacchiammo. Suo padre le aveva detto che ero impegnato. Suo padre mi aveva detto che era impegnata.

– E ora hai avuto il permesso?

– Valentino...

Non so. Forse il modo in cui, per pronunciare il mio nome, aveva socchiuso le labbra; forse perché piegava la bellissima testa da un lato; forse perché la sua bocca sensuale si rilassava in un sorriso invitante... Mi alzai, le sedetti accanto, ma non osai sfiorarla. Lei era la freschezza. Lei era la passione. Lei era cosí meravigliosa che non sarebbe mai stata mia.

– Valentino...

– Come sei bella!

L'abbracciai. Giovanna si avvinghiò alle mie spalle e mi trascinò sul letto. Fu un'ondata travolgente che mi lasciò senza fiato. Fu un maremoto incosciente. Fu amore. Dopo non ci furono parole, ma un pianto spezzato da singhiozzi di ilarità, poi ancora pianto, e piú che i protagonisti di una scena *d'amour fou* sembravamo i sopravvissuti di una catastrofe nucleare.

Squillò il telefono. Lo ignorai. Squillò il cellulare. Lo spensi con una gioia rabbiosa. Giovanna leccava i segni rossi delle unghiate. Il contatto con i suoi seni riaccese il desiderio. Facemmo ancora l'amore. E questa volta fu una cosa gaia, vagamente ironica: come si usa tra animali non piú giovani ed esperti della vita. Misi su i *Live Songs* di Leonard Cohen. Sull'assolo di *Oud* di John Bilezikijan in *Who by Fire* Giovanna si strinse a me con un fremito.

– Questa musica mi dà i brividi.

– Tutto previsto, milady. Il momento è solenne. La vita finalmente si rovescia. I tetri orchi fuggono davanti alle fate turchine. Grazie a te sono sprofondato in un sogno di orsi e di conigli, e finché la musica dura non c'è pericolo che mi risvegli.

Giovanna rise. Ascoltammo in silenzio quella meravigliosa melodia, poi lei cominciò a rivestirsi.

– Guarda che non dicevo sul serio, – protestai. – Anche se la musica è finita, io...

– Tu?

– Io... vorrei tanto che restassi qui.

– A me invece è venuta una gran fame. Andiamo, ti devo una cena. Ti porto al *Giant's*.

– Cos'è?

– Un sushi-bar.

– Aaagh!

– Proposte alternative?

– Dammi dieci minuti.

Maglietta, jeans e via in portineria. Quando le spiegai la situazione, Vincenza superò se stessa. Mezz'ora dopo Giovanna mi ascoltava con espressione affascinata mentre illustravo le delizie di un menu che non s'era mai visto in casa Bruio.

– Crostini con la *'nduja* e *sardicedde,* ossia neonati di pesce in salsa di peperoncino piccante. Bucatini con sugo al tonno... tonno cotto in casa a vapore, vorrei sottolineare... e olive nere... trancio di pesce spada in salsa di capperi... insalata di stagione e per finire pinolata... il tutto annaffiato da... vediamo un po'... rosso di Cirò o, alternativamente, rosatello pugliese di Alezio. L'insieme è forse un po' rustico, ma ti giuro che la cucina di Vincenza sa essere miracolosa.

Senza minimamente scomporsi, la mia recentissima madonna si tuffò su un crostino con la *'nduja,*

– Attenta, brucia da morire!

– I sapori forti non mi spaventano.

Spazzolammo tutto. Come diceva quella canzone? Ho fame anch'io e non soltanto di te... Archiviato l'ultimo goccio di vino, facemmo l'amore. Poi Giovanna disse che era venuto il momento di conoscerci meglio.

– Spara, – dissi.

– Quante domande ho?

– Tutte quelle che vuoi.

– Bene. Musicisti preferiti. Non piú di cinque nomi.

– Cohen. Thelonius. Charles Trenet. Franz Schubert. Khaled.

– Registi.

– Welles. Fellini, tutto sino al *Casanova* compreso. Visconti. Takeshi Kitano... Ah, e naturalmente Sergio Leone.

– Leone?

– Il mio modo di vedere le cose talvolta è ingenuo, un po' infantile, ma sincero. Come i bambini della scalinata di viale Glorioso. L'ha detto lui, una volta. Ora sta sulla targa del Comune. Bello, no?

– Se lo dici tu... Partito politico?

– Mi avvalgo della facoltà di non rispondere.

– Il momento piú bello della tua vita?

– Quando ti sei lasciata sfilare il reggiseno.

– Il piú brutto?

– Quando te ne andrai.

– Con te non c'è gusto. Non gioco piú.

– Eh no, bella. Adesso tocca a me. Scrittori?

– Yehoshua. Carver. Moravia. Henry James. Garcia Márquez.

– Che originalità! Andiamo avanti. Squadra del cuore?

– Odio il calcio.

– Il quadro che porteresti su un'isola deserta?

– *Le tre età* di Klimt.

– Mmm... Qual è il tuo peggior difetto?

– Non so dire di no.

– L'uomo della tua vita?

– Tu.

Ci sciogliemmo a fatica dall'ultimo abbraccio poco dopo la mezzanotte. Il telefono aveva continuato a squillare, ignorato, a intervalli regolari. Giovanna disse che non poteva trascorrere la notte lontana da Nicky. Non quella notte, almeno.

– Chiamami un taxi.

– Ti accompagno. Non mi fido di te. Non di una che non sa dire di no. Non ho intenzione di perderti di vista nemmeno per un istante. Passerò la notte in macchina. E domani all'alba mi presenterò con un grosso mazzo di camelie...

– Delle camelie non me ne frega niente, Valentino, ma c'è una cosa che devi sapere: adoro i cornetti caldi appena sfornati.

Come nella peggiore letteratura rosa, sfiorammo il quarto orgasmo davanti all'austero cancello di villa Alga-Croce. Dopo un ultimo, estenuato bacio d'addio, Giovanna mi chiese se avevo il passaporto in regola.

– Sí, credo, ma perché?

– Perché tu e io partiamo.

– Quando?

– Domani.

– Per dove?

– Il Cairo. Ho una casa a Zamalek.

– E Nicky?

– Viene con noi.

I suoi occhi erano limpidi, sinceri. C'era una domanda che avrei dovuto farle. Chiunque, al mio posto, l'avrebbe fatta. Dovevo chiederle di Poggi. Del suo promesso sposo. Era alla vigilia del matrimonio e mi stava chiedendo di fuggire con lei. E dovevo chiederle del vecchio. Sapeva? Come l'avrebbe presa? Non dissi niente. La vidi scivolare via leggera. Avevo deciso di fidarmi di lei. Del mio sogno. Ero dentro un film. Il piú bel film della mia vita.

Rimasto solo, chiamai mia madre da una cabina telefonica. Rispose dopo undici squilli.

– Se ti servono soldi per la cauzione non contare su di me.

– Mamma! Io...

– È notte, vagabondo, e io sono appena scampata a un'orda di comunisti che volevano strapparmi la dentiera. Lo so come finirò: sola, abbandonata da tutti, in un lager per vecchi sdentati, esposta all'umiliazione di cameriere extracomunitarie e infermieri sadici. Una povera anziana incontinente con un figlio mostro!

– Mamma, vado in Egitto.

– Dio sia lodato! Hai vinto il concorso al ministero degli Esteri?

– Non parto da solo, mamma...

Dall'altro capo del filo un silenzio gravido di minacce, poi un'unica, cupa battuta: – Continua cosí, figlio mio, fatti del male!

Al diavolo, mi dissi, la vita è mia. E da quel momento in avanti non doveva appartenere a nessun altro. Nessun emarginato, nessun affettuoso consigliere, nessun guru del cazzo a spiegarmi come si campa. Solo Giovanna e io.

Entrai in casa fischiettando e mi avventai sugli avanzi di pinolata. Peccato che non ci fosse nemmeno un goccio di vino. Meglio cosí, tutto sommato. L'indomani si partiva. Bisognava essere in forma. Il passaporto, dove diavolo s'era cacciato il passaporto? E le marche? Erano in ordine, le marche? Ma servono ancora le marche per uscire dall'Italia? Dovevano essere le due passate. Avevo un problema con Rod. Non me la sentivo di affrontare un faccia a faccia. Guardarlo negli occhi e dirgli che rinunciavo all'incarico perché mi ero messo con l'ex padrona di Al era di là dalle mie possibilità. Gli avrei scritto quattro parole. E se un giorno fossi diventato ricco, avremmo aperto insieme una catena di *Sun City*. E magari una scuola multietnica e un ospedale solo per gli immigrati clandestini. Ma domani l'Egitto! All'improvviso squillò il telefono. Tanta costanza andava premiata. Risposi. La voce di Del Colle era un roco sussurro.

– Dove diavolo s'era cacciato? Avrò chiamato cento volte!

– Parto, commissario. Egitto. E sono felice!

– Auguri. Volevo solo informarla che abbiamo trovato Latif. Morto.

19.

Diffidente e assonnato, il piantone mi obbligò a ripetere piú volte il mio nome. Consultò un bisunto taccuino rosso che faceva coppia con l'odore di fritto da rosticceria di cui era impregnato il gabbiotto delle informazioni e infine, borbottando qualcosa a proposito di imprecisati sotterranei, mi indirizzò alla sezione Archivio investigazioni. Infine, inforcate spesse lenti nere griffate Hugo Boss, fece ritorno al sonno che avevo interrotto.

Attraversai un lungo corridoio aureolato di accecante e mortuario neon, scortato dagli altoparlanti che sommessamente informavano, tra una scarica di statica e l'altra, come la notte scorresse placida sull'eterna città di Roma, eccezion fatta per un ordinario movimento di mignotte in zona Termini. Superai l'archivio deserto e buio. Oltre una porta scorrevole, senza targhetta, s'intuivano voci, un lucore intermittente. Entrai. C'era un mare di terminali spenti, ma da uno schermo in fondo alla stanza, l'unico acceso nella vasta sala, percepivo segnali di vita. Voci roche e dure, che ansimavano in una lingua sconosciuta, forse olandese, forse slavo, sicuramente roba del Nord. Immagini imperfette, confuse, che a quella distanza non riuscivo a mettere a fuoco.

Qualcuno si stava sparando un video porno. Registrazione sfocata, cattiva qualità. C'erano una bionda artificiale, sfasciata e grassa, con una farfalla tatuata sul seno, e quattro coattoni nudi dalla cintola in giú che sogghignavano sotto nasi deformi da pugili suonati. Ma c'era qualcosa di morbosamente coinvolgente nei mugolii e nelle smorfie di lei. Avvertii l'eccitazione: s'impadroniva delle pieghe della carne irradiandosi dal cervello. La buonanima di Frank Zappa ci aveva decisamente visto giusto: la parte piú sporca del corpo umano è proprio il cervello. Sospirai, combattuto tra vergogna e desiderio.

– È difficile restare indifferenti, eh?

Mi voltai e allargai le braccia. Il commissario Del Colle se ne stava stravaccato su una poltroncina girevole, le gambe larghe, sagoma a malapena percettibile alla luce incerta dello schermo, il respiro pesante, un bicchiere in mano, un'espressione di sconfitta irrimediabile nell'atteggiamento di rilassato abbandono.

Abbozzai appena un sorriso. Complicità maschile. Due dei coattoni osservavano la performance del residuo trio. Sui loro volti era diffusa la beatitudine ultraterrena dell'orgasmo. Verità? Finzione? Il sonoro crebbe d'intensità, le voci roche si frantumarono in un singhiozzo prolungato. Del Colle azionò il fermo-immagine. Fredde luci spararono sul velo di sudore che mi attaccava la camicia alla schiena. Cercai d'istinto di ripararmi la vista. La sua risata franca mi colpí sul dettaglio di brufoli in rilievo e della peluria bruna intorno alle labbra dell'attrice. Pensai rabbrividendo a Giovanna.

– Un sequestro. Roba ucraina o moldava. È un tipico film *gang-bang*, un'ammucchiata di maschi con una sola donna. Pare che il record mondiale appartenga a una cinesina di ventidue anni. Duecentocinquantuno orgasmi in dieci ore.

Del Colle mi offrí del pessimo whisky imbottigliato a Forcella (un altro sequestro, va da sé) senza contrabbandarlo per l'acqua della vita, e per un miracolo dell'inconscio ritrovai in una tasca di periferia un mozzicone di sigaro già umido di nicotina condensata. L'amara, abituale ironia brillava negli occhi del commissario.

– Eccitante, vero? Cos'è che la colpisce di piú, avvocato? La falsità, l'aspetto economico o, piú banalmente, i giochetti che fanno?

– Potrei scrivere un trattato sulla pornografia, – replicai d'istinto. – Tuttavia continuo a farmi delle domande. Mi chiedo com'erano prima di mettersi a fare questo mestiere. Se hanno una famiglia. Sino a che punto sono disposti a spingersi...

– Il limite è il cielo, in certe partite. Dovrebbe saperlo. Almeno, non fa del moralismo.

– Ci mancherebbe! E lei? Cosa ci trova lei, commissario?

Ingoiò un'altra sorsata di quel denso liquido color arancio che non poteva essere whisky. Mi chiesi che razza di cocktail stesse bevendo.

– Io trovo che queste signore mi allontanano dall'idea della morte. E tanto mi basta. Per questo le vengo a cercare.

– Solo per questo?

– Naturalmente è anche qualcosa che ha a che vedere con la solitudine. In fondo, sono un commissario. Un poliziotto solo in una grande stazione, una notte d'estate. Suona scontato, non le pare?

Mi sentivo a disagio. Io ero felice. La mia felicità si sarebbe dovuta imporre al mondo intero. Domani. L'Egitto. Che si desse una mossa, Del Colle, con la sua eterna aria da perdente e le sue brutte nuove. Ero in un'altra dimensione e volevo restarci. Con tutte le mie forze.

– Mi ha detto che Latif è morto, – dissi, duro, per smuovere la situazione. – E allora?

– Già, Latif, – sospirò lui. – L'abbiamo trovato alle otto, dalle parti della stazione. Anche lui. Curiosa coincidenza, no? A prima vista si direbbe suicidio. Un solo colpo alla tempia. Calibro 38. La pistola era accanto al cadavere. Un'altra coincidenza. Sulla mano destra c'erano evidenti tracce di polvere da sparo. Ma questo non è decisivo. Sebbene sia presto per affermarlo, scommetto che gli esami balistici ci diranno che si è trattato della stessa arma. La stessa di Al, voglio dire. Lei che ne pensa?

C'era qualcosa nel suo sguardo che aveva il potere di turbarmi. Un'attesa. Una domanda pressante di aiuto. Era chiaro che voleva coinvolgermi. Ma io non sapevo che dire.

– Bene, non ha opinioni – riprese, scrollando le spalle. – O per una volta tanto si trova d'accordo con il suo vecchio amico Castello? Secondo lui è tutto chiaro. Al e Latif litigano per chissà quale storia di negri. Latif uccide Al. Poi, inaspettatamente, compare sulla scena un avvocato impiccione. Latif s'insospettisce e si licenzia. Prepara la fuga. Ma qualcosa va storto. Lui prende a girovagare per Roma finché, vinto dal rimorso, si uccide...

– Potrebbe essere andata cosí.

Mi sentivo sporco e inquieto. Ma l'urlo della felicità faceva tacere i mormorii della coscienza.

– Già, già, potrebbe essere andata cosí, ma c'è un particolare che non riesco a inserire nel quadro...

– E sarebbe?

– La famiglia Alga-Croce. L'intervento del vecchio sui miei superiori. Perché tanto interesse per una banale storia di servitú?

– Il vecchio Noè è un uomo d'altri tempi, – insorsi stizzito. – Ed è anche un eccentrico. Considererà irriguardoso che ci si occupi delle storie di servitú. Piombando a casa sua l'ho indispettito. Una reazione comprensibile.

Del Colle emise un sibilo sarcastico e bevve un'altra sorsata del suo liquido color arancio.

– L'avvocato Bruio che difende l'altezzosità di un vecchio pescecane della finanza! È un effetto del viaggio in Egitto?

La tentazione di mandarlo al diavolo era fortissima. Ma che voleva da me? Indagasse pure: era il suo mestiere. Ma non riusciva a rendersi conto che io ero già in un altro mondo?

– Tutti e due, – riprese, implacabile, – lavoravano dagli Alga-Croce. Tutti e due muoiono. Singolare coincidenza? Ma chi erano quei due poveracci? Che vita si viveva in quella grande casa? Esiste un movente estraneo al regolamento di conti tra due immigrati di colore? Dovrebbe porsele lei queste domande, avvocato, lei è il loro fratello di sangue... Con chi ci va in Egitto? Aspetti: mi lasci indovinare.

– Non si sforzi, voglio risparmiarle la fatica. Parto con Giovanna Alga-Croce.

– Però! E cosí anche lei è andato a ingrossare la schiera dei pentiti! Dev'essere uno sport nazionale.

– Adesso basta! Ne ho le palle piene, Del Colle! Possibile che...

– Su, su, non si agiti. Le va un caffè? – propose, cambiando tono e indossando una frusta giacca di lino bianco. – La porto dagli emarginati veri. Quelli che secondo i miei capi dovrei sbattere in galera per tenere le strade pulite.

Lo seguii a fatica mentre guidava aggressivamente una Croma blu metallizzata sino al bar dei Mercati generali. Ma perché non l'avevo piantato in asso? Non ero che uno stanco, libero cittadino, ormai. Un italiano nel mezzo del cammino della vita che aveva il sacrosanto diritto di godersi la prima, unica e sicuramente irripetibile *sophisticated comedy* di una grama esistenza dalla-parte-della-giustizia e altre cazzate cosí. E anche di Rod ne avevo le palle piene. Si era sbagliato, tutto qui. Al e Latif erano due tipacci. La loro sorte mi commuoveva, ma non potevo farci niente. Cosí va il mondo.

Nel locale, gli scaricatori con i camici bianchi macchiati del sangue dei quarti di manzo sapevano di cappuccino e di Stravecchio. L'atmosfera era umida e assonnata, ma sentivi che da un momento all'altro una parola sbagliata, uno sguardo frainteso potevano scatenare un'onda di violenza. Il barman se ne stava coi gomiti appoggiati al bancone di marmo. Due transex in abito lungo e verde si rifacevano il trucco, lanciando occhiate assassine al giovane commissario che ordinava i caffè.

Quando uscimmo era già esplosa un'alba frizzante. La gente del mercato si scambiava ordini e insulti, grossi furgoni facevano scaldare i motori, le luci della via Ostiense brillavano pallide nella luminosità del giorno in arrivo. Lo accompagnai alla Croma.

– Va bene, per lei il caso è chiuso. Il suo amico Rod non ne sarà contento.

– Capirà...

– Strana persona, quel Rodney Winston. Ha un lavoro regolare, ogni tanto vende erba, qualche denuncia, ma roba di poco conto, e comunque tutto archiviato. Ed è lui a chiederle di indagare su Al. Lui che dice di parlare a nome della comunità sudafricana ma non risulta iscritto a nessuna delle associazioni di immigrati, lui che la mette sulle tracce di Latif... Mi domando se lo conosce poi davvero, il suo amico...

– Adesso non esageri, eh?

– Voglio dire... be', le ha detto di aver fatto la rivoluzione, la lotta armata e tutte queste belle cose... ma né lei né io siamo andati in Sudafrica a controllare. Bah, forse è solo la tipica paranoia del poliziotto... poi, è chiaro che lei è già alle Piramidi.

Anche i sospetti su Rod! Non rinunciava a niente, quell'animale di poliziotto. Ma se il caso era chiuso! Perché ostinarsi ancora? A che gioco giocava Del Colle? Al massacro delle illusioni? Ma intanto mi aveva piantato dentro un tarlo antipatico, insistente. E la felicità era a portata di mano... Mi aveva dato del pentito, mi considerava un traditore! Ma di chi? E di che cosa? Ma che ne sapeva, lui...

– Comunque, – concluse, – se ci saranno sviluppi, la terrò informata... beninteso, al suo ritorno dall'Egitto.

– Del Colle...

Senza rendermene conto, l'avevo afferrato per un braccio. Un lampo sornione attraversò i suoi occhi pesti. Mollai la presa.

– Sí, avvocato?

– Che... che diavolo beveva prima, al commissariato? Quella cosa arancione... che cos'era?

– Ah, quella? Una centrifuga di carote e limone... Ci tengo alla mia salute, io!

20.

Il display scarlatto della vecchia radiosveglia Telefunken cominciò a pulsare e la suoneria inondò il complesso Prattico di raccapriccianti muggiti.

Smanettai il ruvido cursore per il tempo necessario ad apprendere che aumentava in modo esponenziale il numero dei morti per incidenti stradali sulle autostrade, attribuiti, dall'esponente politico della Destra intervistato via telefono da una Dj voce stile Paperina, all'eccessiva lentezza dei veicoli; Lella Di Comite svendeva a prezzi «euforici» tutto il campionario di tappeti persiani nell'incantevole *art shop* di via dell'Orso; d'estate alle italiane piace farlo in acqua, meglio se in piscina; Carlo e Leo del *Savannah Selvaggia Club*, instancabili promotori di iniziative per scambisti, organizzano «la carovana dell'amore» sul litorale sabaudo: prevista la partecipazione di Jessica Rizzo, la signora piú amata dagli italiani (tessera gratuita per coppie, duecentocinquantamila, consumazione obbligatoria per i single); secondo un autorevole porporato, il fatto che il matricidio-fratricidio di cui tutti parlavano fosse stato commesso in famiglia e non da una banda di slavi non autorizzava nessuna tolleranza nei riguardi della piaga dell'immigrazione clandestina. Manu Chao cantava la rabbia e il dolore del clandestino universale alle prese con la seduzione della Grande Babilonia.

E basta! Era il mio momento. La vita: prenderla al

massimo. Era piacevole crogiolarsi nel fresco torpore del dormiveglia. L'universo scorreva placido sui binari della banalità estiva e i media continuavano a gettare benzina sul fuoco del razzismo. Ma non era un problema che avrei potuto comunque risolvere da solo. Per dirla tutta, non era piú nemmeno un mio problema. Pace al clandestino. La Grande Babilonia l'avrebbe distrutta qualcun altro. Valentino Bruio: un uomo nuovo. Un uomo senza problemi. Come disse una volta il vecchio Groucho: non ho patria né religione, ma solo sigari. Sigari e Giovanna, naturalmente.

Il solo pensiero del suo nome adrenalinizzò le mie membra intorpidite. Rividi la bocca socchiusa nell'ultimo bacio, annusai il suo odore sconvolgente che mi faceva scoppiare le vene di desiderio, e una prevedibilissima erezione completò il quadro. Alle nove in punto composi il suo numero, le dita che volavano sulla tastiera del Sirio. Canticchiavo. L'avrei destata con un bacio. Troppo poco. Dovevo procurarmi delle rose. Rose scarlatte. E un bigliettino spiritoso e un po' delirante... Ah, e dei cornetti. Un vassoio di cornetti di Antonini, il Bulgari di via Sabotino.

Il telefono squillò a lungo. Scattò una segreteria telefonica. Voce metallica, accento straniero. Si prega richiamare oppure lasciare un messaggio, grazie. Lasciai il messaggio.

– Dài, Giò, sono io, tirati giú dal letto, pigrona...

Ma nessuno, dall'altra parte del filo, si precipitò a interrompermi. Composi il numero una seconda, poi una terza e una quarta volta. Ancora e sempre segreteria telefonica. Cercai nella tasca dei calzoni il numero del cellulare che lei... lei in persona... mi aveva dato in macchina, dopo quell'ultimo bacio. Messaggio Tim: l'utente desiderato non è al momento raggiungibile. Ma cos'erano, dei maghi, questi stronzi della Tim?

Certo che l'utente era desiderato! Certo che non era raggiungibile...

La consapevolezza di ciò che poteva essere accaduto tardava a farsi strada. Non volevo arrendermi all'evidenza. Intanto, l'universo esplodeva. Una galassia in polvere sotto il bombardamento di fredde frasi di circostanza. Meteoriti e asteroidi che vagavano sbriciolando le mie illusioni. Giovanna...

– È uno scherzo! – urlai.

Mi vestii rabbiosamente e attraversai Roma ignorando semafori e divieti. Il vecchio aveva saputo e la teneva segregata in un'umida prigione a pane e acqua... Era tutto uno scherzo. Era un banale errore. Lei mi aspettava all'aeroporto e presto avrebbe chiamato, allarmata per il mio ritardo... Il vecchio aveva anticipato il matrimonio e lei in questo momento stava dicendo «sí» al professor Poggi.

Il cancello della villa era sbarrato. Ma come, non doveva essere sempre aperto a tutti? Le cime degli alberi, gli arbusti, i fiori sembravano immobili guardiani indifferenti alla canicola. L'occhio di una telecamera a circuito chiuso spaziava sull'orizzonte, emergendo grottesco da macerie di offendicoli di vetri spezzati. In una sola notte avevano trasformato l'Eden nella fortezza Bastiani. O tutto questo c'era sempre stato, ed erano i miei occhi da idiota a non vederlo?

Mi attaccai al campanello finché non comparve una coppia di domestici in uniforme. Erano nerissimi, sorridenti e preoccupati. Si accostarono al cancello, e l'uomo mi rivolse la parola in inglese.

– *Can I help you, sir?*

– *Indian?*

– *From Kerala, sir. Can I help you?*

– *I'm looking for lady Giovanna*... la signora Giovanna...

I due, evidentemente marito e moglie, si scambiarono un'occhiata imbarazzata, poi lei scansò il marito e protese le mani giunte di là dall'inferriata.

– Partita, signore. Tutti partiti. Lungo viaggio. Partiti stamattina presto, molto presto... mi dispiace.

– *May I come in for a minute?*

Il sorriso di lei raddoppiò d'intensità.

– Mi dispiace, sir. C'è ordine di signore...

Inutile insistere. Inutile illudersi che lei fosse lí dentro, da qualche parte, e magari mi stesse spiando. Me lo diceva il cuore che era partita. E il cuore mi diceva anche che non l'avrei mai piú rivista. Tornài alla Honda. Solo, sconfitto, disperato. Ciò di cui avevo bisogno erano buio, silenzio e bourbon. Lungo la strada mi fermai a comperare una bottiglia di Evan Williams. La sbronza di bourbon fa piú male di quella di whisky. Ed era precisamente quello che cercavo: farmi male.

Nel complesso Prattico aleggiava un'inconsueta fragranza femminile. Per un istante mi cullai nell'illusione che lei... ma quello non era il suo odore, Giovanna sapeva di cioccolato con un fondo amaro, affumicato, quasi maschile, come un buon vecchio tè Lapsang Souchong. Quello era un conturbante miscuglio di muschio e gelsomino, come certi vini bianchi fruttati concepiti per darti alla testa sin dal primo assaggio. Quello era un profumo invitante e sdolcinato, quello di Giovanna era un ordine perentorio, senza concessioni: prendere o lasciare subito. E per sempre.

Poi mi accorsi del Post-it giallo al centro della scrivania. Qualcuno vi aveva disegnato un piccolo, grazioso orsetto col broncio: «Sono molto offesa con te, Valentino. Non mi hai mai chiamato e il tuo telefono è muto. A casa non ci sei e io mi sento cosí sola!» Avrebbe anche potuto non firmarlo, ci sarei arrivato da solo. Cheryl Berry.

Ecco cos'era la mia vita: rincorse alla donna sbagliata e incontri mancati. La solita vecchia *ronde*: insegui chi ti sfugge e respingi chi ti cerca. Misi su un Cohen particolarmente adatto alla depressione e andai in caccia del numero di Cheryl. Ero stato tradito, vergognosamente abbandonato. Potevo prendermi la mia piccola rivincita. La madonna del vino e delle rose mi aveva appena mollato un calcione alle gengive. Cheryl doveva essere uno schianto, a letto. Avremmo fatto l'amore, poi mi sarei sfogato con lei. Ma dopo. E forse avremmo riso insieme, sballato insieme... Composi il suo numero. Rispose un messaggio registrato.

«Hallo! Hai fatto il numero giusto, amore. Peccato che in questo momento non ci sono oppure sono impegnata *(sospiro denso di implicazioni)*. Ma puoi chiamarmi domani dalle dieci alle diciassette. O se preferisci puoi lasciarmi il tuo numero e sarò io a richiamarti...»

La tipica segreteria di una squillo! Fui contento di non averla trovata. Cosí almeno non ci sarebbero stati equivoci. Buttai giú un mezzo bicchiere di Evan Williams. Be', se ero stato tradito, anch'io avevo tradito. Ero diventato un rinnegato. Sotto la malia della donna bianca avevo gettato a mare Rod e Del Colle, e i neri morti, e la mia stessa dignità. Mi sentivo una merda.

Come sempre senza bussare, donna Vincenza mi strappò ai lugubri pensieri e mi scaraventò a tavola, davanti a un vassoio colmo di delicatessen calabre e a una cuccuma di caffè nero bollente.

– Non ho fame. Solo a vedere questa roba mi viene la nausea.

– Fesserie! Ma guardatevi: tenete l'occhio marcio. Mangiate, mo'.

Addentai sospirando un pomodoro. L'occhio marcio! Vincenza trattava l'umanità come i saraghi sul bancone del mercato: dall'iride e dalle squame era in grado di diagnosticare un'intera esistenza.

– Su, che la frisa si squaglia!

Buttai giú la frisa condita con l'olio al peperoncino piccante e consumai sino all'ultima goccia il rassicurante caffè amaro.

– Cose da resuscitare i morti! – commentò lei soddisfatta. – Mo' l'occhio è tutta un'altra cosa!

– Che vuoi dimostrare, Vince'? Che siamo tutti schiavi del ventre?

La portiera scuoteva la testa.

– Che è quest'aria da cadavere, avvoca'? Uscite, mettetevi un bel vestito, andate a Fregene, cosí vi colorite un poco la faccia. Sapete che faccio? Mo' telefono a quella brava ragazza che v'ho detto l'altro giorno...

– Vince', non t'è bastato salvarmi la vita? Vuoi pure farmi diventare felice? Tutto in una volta?

Scoppiammo a ridere. L'abbracciai d'impulso. Il suo affetto commovente mi aveva riportato sulla terra.

– Ringraziate il peperoncino, – mi ammoní, sciogliendosi, rossa e soddisfatta, dall'abbraccio.

Be', pensai, mentre mi affettavo le guance con una sorta di ascia navaho che chiamano radi&getta, ora li affronto. Rod, Del Colle, le mie responsabilità. Il gioco si fa duro. Inutile rimuginare. Giovanna si faccia la sua vita. Io la mia. Inutile giocare a rimpiattino con i destini obbligati. E pazienza per il bel film che non vivrò: d'altro canto, le commedie sofisticate mi sono sempre state antipatiche. Vuoi mettere un bel Welles in bianco e nero?

Mi richiusi la porta alle spalle senza rimpianti.

– Che bello giovane! – commentò Vincenza, mentre attraversavo, deciso e incravattato, il cortile assolato del complesso Prattico.

21.

Sotto lo sguardo accigliato di un minuscolo filippino, Rod scannava un pollastro dal collo inverosimilmente allungato. Sul lavabo facevano bella mostra di sé un fiasco di aceto e la crema di cocco.

– Ti piace *l'adobo*, fratello?

– Rod, devo parlarti.

– Ci vediamo dopo, Manuel.

– *Po!*

Il filippino sgattaiolò via borbottando qualcosa tra i denti. Rod abbandonò la mannaia, si ripulí sommariamente e mi invitò a sedere. Il suo sorriso brillava ironico nella penombra del cucinino del *Sun City*. Il sangue dell'animale sacrificato colava sul lercio spolverino come in un vudú inurbato.

– Allora?

Confessai tutto d'un fiato. Lui stette ad ascoltarmi attento; di tanto in tanto un impercettibile moto gli increspava la fronte scura. Alla fine della storia, annuendo sereno, prese dal frigo una bottiglia di Locorotondo bianco.

– E cosí, ti sei bevuto la balla del suicidio, – mormorò, riempiendo i bicchieri.

– Rod, potrebbe essere andata cosí.

– Escluso, – tagliò corto lui. – Latif era un nero.

– Il suicidio è una prerogativa degli ariani?

– Non una prerogativa. Un lusso. Un nero non viene a Roma a cercare grane e lavoro se non ha un fortissimo istinto di sopravvivenza. Come Latif, che voleva diventare un bianco. Anche lui. Il suo Paese ha conosciuto inondazioni, guerre, miseria, carestia, fame, predoni. Non dimenticare la nostra disperazione, avvocato. Chi lotta per la vita è capace di tutto. Ma non si suicida perché l'hanno licenziato. O per rimorso!

Toccammo i bicchieri. Rod mi guardava fisso. Ma io non sapevo che dire. Anche lui, come Del Colle, mi richiamava alla ragione.

– La verità, – riprese, dopo un lungo sorso, – è che hai voluto credere a quello che ti faceva comodo. Pensavi al tuo viaggio con la donna bianca. Ma non è andata cosí, Valentino. Latif non si è suicidato. Ieri era venuto qui per cercare te, proprio te. Era un uomo spaventato, braccato. E mi ha lasciato questo da darti...

Mi consegnò un pezzo di carta stropicciato e bruciacchiato. C'era anche una scritta, solo in parte decifrabile.

X-PERSONA: < ID >
RECEIVED: BY HOST; TUE, 13 MARCH 2001 10:42:05 + 0200
MESSAGE-ID:
<D05451D06005D411A63A00508B55DB9A0
FROM:
TO: <SBL.4289@
SUBJECT: UNDELIVERABLE:
DATE: TUE, 13 MARCH 2001 10:42:05 + 0200
DE: 44
ATUS: U
IDL: OsSpEtHkHRSpyAE

Intascai automaticamente il reperto.

– Sta diventando una specie di incubo, Rod. Al mi cerca e lo ammazzano, Latif chiede di me e lo suicidano...

Lui allargò le braccia.

– Chiunque sia stato, è qualcuno che sa che la morte di un paio di negri non solleva la polvere della tua città eterna. Credono di averci cacciati in un vicolo cieco. Ma io penso che la partita sia ancora aperta. E noi andremo avanti –. Ora i suoi occhi saettavano lampi terribili. – Perché tu... tu andrai avanti sino in fondo, vero?

– Qual è il fondo, Rod? Dove dobbiamo arrivare?

Il nero mi puntò un dito contro. La sua voce era carica di minaccia.

– Lascia che ti dica una cosa, Valentino. Quando giú da me comandavano i bianchi e noi facevamo la lotta armata... la lotta armata, mi capisci?... Be', a un certo punto c'era sempre qualcuno che cominciava a cacare dubbi: questa missione è impossibile... quest'attentato è troppo pericoloso... Allora gli altri... noialtri... ci domandavamo: ha paura? Perché se ha paura è umano, si può capire. Vuol dire che lo abbiamo sopravvalutato, questo compagno. Lo abbiamo usato male. Lui è di un'altra pasta. Lui certe cose non vuole farle. Ma c'era sempre un'altra possibilità. Quest'uomo, ci domandavamo, quest'uomo ha tradito? O è pronto a farlo? E non era una domanda da poco, perché...

– Rod...

– Lasciami finire! Perché uno che ha paura può anche ritrovarlo, il coraggio, ma per i traditori non può esserci pietà. I traditori sono nemici della causa... Lo capisci questo, Valentino?

Causa... Che parola orribile! Andava molto di moda una ventina d'anni fa. Quelli della generazione precedente alla mia l'hanno giocato tutto, casella dopo casella, il gioco dell'oca della causa. Per la causa si uccideva e si seppellivano coscienza e morale. La causa! Ne avevo conosciuti di bravi ragazzi fanaticamente devoti alla causa. Quelli che dormivano fuori di casa quando correvano le voci di un golpe. Quelli che ammassavano le armi per prepararsi alla nuova resistenza. Quelli che chiudevano la loro avventura umana in un cortile senza uscita, con la pistola in mano e nel tascapane un pacco di volantini che avrebbero dovuto giustificare il colpo alla nuca della vittima predestinata. In nome della causa. Rossi e Neri. Era anche per merito loro se il mio Paese mi stava giorno dopo giorno sempre piú stretto.

La causa! Certo, per Rod era diverso. Lui la guerra l'aveva fatta sul serio. E l'aveva anche vinta, se è per questo. Ma non era rimasto a godersela, la vittoria. Dopo una breve avventura a Johannesburg era tornato a far casini in Italia. Perché il nuovo potere è troppo morbido con i vecchi aguzzini, diceva. Ma aveva ragione Del Colle: né lui né io avevamo mai controllato. Né lui né io sapevamo veramente chi era, chi era stato Rodney Vincent Winston.

– Valentino, di' qualcosa, Cristo santo!

Mi versai dell'altro Locorotondo. Sí, chi era veramente Rod? E perché questa storia gli stava cosí tanto a cuore? Mi nascondeva qualcosa? Voleva anche lui manovrarmi? L'avvocato dei neri, il simpatico, iracondo avvocato Bruio che va avanti sino in fondo... ma dove? Per chi? Per che cosa? Il vino mi saliva alla testa. Avrei dovuto rinunciare. Dirgli: mi dispiace, abbiamo già dato, non posso aiutarti. Avrei dovuto dire di no sin dalla prima volta.

– Va bene, – dissi invece, tirando fuori dalla tasca il foglietto. – Va bene. Forse so chi può darmi una mano.

– Lo sapevo! Lo sapevo che alla fine saremmo rimasti uniti!

Il suo abbraccio era caldo, fraterno, entusiasta. Possibile che fingesse? Ma perché non riuscivo a crederegli? Perché ero un uomo ferito e deluso?

– Mi farò vivo, – dissi, sciogliendomi dalla stretta. E va bene, andiamo avanti. Ma per carità: che nessuno parli di causa, verità, lotta, eroismo, missione e altre cazzate in technicolor. Forse avevo detto di sí perché cullavo ancora la speranza che un'esile traccia mi riconducesse a Giovanna. Forse la sfida mi affascinava. Conoscevo a memoria tutto Sergio Leone ma non avevo ancora imparato a mettere giú la testa al momento giusto.

22.

Mentre l'affollato locale delle 18.45 mi conduceva pigramente a Zagarolo, ripensavo al mio primo incontro con Zaphod.

Il suo vero nome era Enrico, Enrico Testi. Il piú abile truffatore che avesse mai calcato il palcoscenico del crimine. Ufficialmente incensurato, al punto che prestigiose istituzioni pubbliche si contendevano a suon di milioni le sue consulenze in materia informatica, insiemistica e, diceva lui con l'abituale tono un po' blasé, enigmistica. Sino al '90 non era stato che un oscuro funzionario di una grande banca, un talento istintivo cui seri limiti di comunicazione con il resto dei propri simili sbarravano inesorabilmente ogni prospettiva di carriera. Trascorreva le giornate rinserrato dentro un caveau, maneggiando titoli e denaro contante sotto l'occhiuta vigilanza del circuito interno, pallido per l'assenza di sole, risparmiando sul cibo e sui vestiti per i due grandi amori della sua vita: Alessia e l'elettronica.

Alessia era una dolcissima fanciulla nata con l'alterazione cromosomica che risponde al nome di sindrome di Down. Una mongoloide, come non avevano mancato di ricordarle, con la ferocia tipica dei «normali», tutte le volte che, con l'incancellabile sorriso stampato sulla bocca carnosa, si era avventurata a cercare in una stretta di mano o in un abbraccio quel calore la cui mancanza è, o dovrebbe essere, l'anticipato *rigor mortis* dei cosiddetti viventi. Enrico l'aveva sposata, dandole quel cinquanta per cento di calore che riusciva, con sempre maggior fatica, a sottrarre all'elettronica.

– I diversi e i microchip non ti tradiscono, – aveva sentenziato una volta.

– Tranne quelli clonati, – avevo ribattuto, con un filo di cinismo.

– Quelli non sono chip, – aveva tagliato corto, infastidito. – Quelle sono manipolazioni genetiche. Roba da umani. Io parlo di altro: di purezza, per intenderci.

Parlava di purezza come il vecchio Noè Alga-Croce, ma intanto nel '91, quando già ne sapeva di intelligenza artificiale abbastanza da zittire i piú accreditati soloni del ramo, la sua banca decise di lanciare un avanzatissimo protocollo di informatizzazione aziendale. Presentato come un prodotto avveniristico, il sistema Moneytax, con la sua indefettibile precisione e con l'oggettività dei suoi scintillanti circuiti, determinò la retrocessione di Enrico Testi dal caveau ai sotterranei, e il suo confino in una mansione ancora piú oscura e dequalificata. Il futuro Zaphod divenne cosí un Bancario Invisibile nell'underground del grande complesso pulsante, additato ai colleghi piú scafati come il tipico esempio di fossile vivente: un rottame inetto al progresso, un sopravvissuto che non si poteva licenziare unicamente in nome di una perversa logica sindacale.

In realtà, il Moneytax era poco piú di un pallottoliere al confronto delle sofisticate apparecchiature che, dal cuore del suo bilocale sulla Tuscolana, Enrico era in grado di telemanovrare, eterodirigere, governare con impronte vocali umane o animali. Un pomeriggio aveva persino cercato di spiegarmi la natura sostanzialmente elementare della logica booleana, avventurandosi in una dotta e appassionata dissertazione sui misteri del web.

– La Rete! La piú grande occasione di democrazia offerta all'uomo. L'abbattimento delle barriere. Il sogno di Vannevar Bush, di Ted Nelson e di Tim Berners-Lee. Il Virtuale contro il Monetario...

Tutto ciò che riuscii ad afferrare fu che un pugno di eroi litigiosi e solitari cercava di sottrarre il dominio della comunicazione ai soliti affaristi in lobbia e ghette e che, come sempre accade, li avrebbero fatti a pezzi o, peggio, tollerati, a patto che se ne stessero nella loro nicchia del libero pensiero e non si azzardassero a disturbare il manovratore. Posizione che con il tempo Zaphod avrebbe fatto sua. Ma comunque, quando si trattava di aiutare un amico in difficoltà lui non si tirava certo indietro. D'altronde, un vecchio debito di riconoscenza ci legava. Tutto cominciò quando Enrico, e non gli ci volle piú di un pomeriggio di lavoro, si accorse che il Moneytax era una colossale fregatura. Una vera «sòla», per dirla alla romana. Nessuno, in banca, era al corrente della sua passione per i chip. Se si fosse presentato all'Ufficio progettazione suggerendo le opportune modifiche lo avrebbero preso per pazzo. O forse no. Forse gli avrebbero dato retta, gli avrebbero detto «tante grazie», gli avrebbero concesso una modesta gratifica e il progetto sarebbe stato girato al famoso guru californiano che aveva sbolognato al miglior offerente il programma-catastrofe. Furono giornate tremende per Alessia ed Enrico. Il calore umano scemava e l'ansia virtuale si gonfiava. Il pallore di Enrico era contagioso. La sua donna soffriva terribilmente. L'impasse appariva insuperabile.

Un pomeriggio di dicembre, Alessia, incapace di reggere quel clima di gelo informatico, tentò di tagliarsi le vene dei polsi. Enrico ne fu sconvolto. Per la prima volta i cinquanta metri quadrati dell'appartamento gli si mostrarono nella loro vera luce: un'orribile gabbia in cui due marginalità sperano illuse di potersi sostenere a vicenda sino all'inevitabile finale cannibalistico. Giurò ad Alessia che non le avrebbe mai piú fatto mancare il suo amore. Chiese alla banca un periodo di aspettativa e tre mesi dopo si presentò al complesso Prattico, indirizzato da comuni amici, e mi tese un bigliettino da visita su cui c'era scritto ZAPHOD-INTELLIGENZA E ARTIFICIO.

– Zaphod? Chi era costui?

– Un extraterrestre con molti cervelli e un gran cuore.

Sulle prime non lo presi sul serio. Ero abituato ai matti che affollavano, si fa per dire, il mio studio. Ma mi bastarono pochi minuti di ascolto per capire che l'affare era serio. Zaphod era riuscito a intrufolarsi nel superprotetto Moneytax con un banalissimo Pc domestico e aveva prelevato, sino alla data del 15 marzo, seicentocinquanta milioni di lire.

– Tecnicamente si può parlare di furto? – mi chiese imbarazzato.

Un omarino dignitoso, pulito, insignificante, con grandi occhi rossi e allucinati. Cosí l'avevo giudicato a prima vista. Uno zero con una vena di innocua follia. Dovevo ricredermi, naturalmente. Chissà poi perché siamo abituati a credere che la genialità si debba manifestare attraverso segni esteriori facilmente riconoscibili. Chissà perché siamo convinti che una fronte spaziosa, la ricercatezza nel vestire e una buona parlantina siano gli attributi necessari di coloro che sono stati baciati dalla buona sorte. Enrico era debole di costituzione, vestiva come uno spaventapasseri, mugugnava e balbettava, evidentemente a disagio con il lessico e, avrei capito in seguito, piú consapevole del linguaggio di Alessia che di quello degli umani, verso i quali nutriva un profondo disprezzo. Un predestinato all'invisibilità eterna, il compagno di scuola al quale pronostichi pochi anni di vita grama e che poi ti ritrovi, algido e spietato, al timone della cosa pubblica.

– Piú vicino alla truffa che al furto, – risposi, dopo una lunga meditazione.

– Bene. Io non sono un ladro. Piuttosto un giustiziere...

– Comunque, io non la difenderò. Ammesso che mi abbia detto la verità, non ha scampo. Il reato c'è tutto. Potremmo provare a restituire il maltolto e a patteggiare, ma il danno è ingente.

Mi ringraziò, per niente colpito dalla mia sinistra profezia, e tornò a farsi vivo qualche mese dopo. Un po' piú curato nell'aspetto, reggeva un'enorme massa di tabulati. Mi disse che aveva provveduto a reintegrare l'istituto.

– Nessuno si è accorto di niente.

– Bene. Allora la cosa è risolta. Non vedo a che cosa possa servirle un avvocato...

– Ma è proprio questo il punto! Io voglio che sappiano.

Il suo piano mi sembrava assurdo, ma cominciavo a provare uno strano interesse per quello strano Zaphod. Accettai un invito a cena. Non sapevo di Alessia, e quando lei emerse da una giungla di schedari, terminali e fili, le strinsi la mano con estrema nonchalance. Lei mi squadrò, poi mi gettò le braccia al collo e mi schioccò un profondo bacio in fronte. Mi irrigidii, piuttosto imbarazzato. Alessia non aveva niente di strano, non a prima vista. Insomma, non si vedeva che era...

– Dawn? Dica pure mongoloide, – disse piú tardi Zaphod, rilassatissimo. – Non è la parola in sé a offendere. È il modo in cui uno la pronuncia... Comunque lei le piace, avvocato. E Alessia non sbaglia mai. È il mio termometro con gli umani. È lei che seleziona e divide. Dipendesse da me, non ne salverei nessuno...

Osservavo con crescente stupore quelle due singolari creature. Il gioco di sguardi che li attraversava come una corrente ora impetuosa ora placida. C'era un grande, immenso calore in quelle stanze misere, il tangibile fuoco dell'amore, la dedizione, una speranza che brillava malgrado tutte le ragioni di questo mondo. Mi sentii invadere da una profonda commozione. Baciai i lunghi, profumatissimi capelli di Alessia.

– Deve aiutarmi, – disse alla fine Zaphod. – Lo faccia per lei. Per me non chiedo niente, ma per lei vorrei tutto. Un tappeto di rose, il rispetto della gente, il lusso piú sfrenato. Perché se un giorno io dovessi venirle meno...

Ottenemmo faticosamente udienza dall'amministratore delegato del gruppo bancario cui faceva capo l'unità di Zaphod. Volammo a Milano. In termini asciutti, senza nessuna reticenza, gli spiegammo come, seguendo il percorso elettronico che Enrico aveva elaborato, gli sarebbe stato possibile risalire all'ammanco e alla successiva restituzione. Prima che potesse pronunciare la parola magica, lo anticipai.

– Studi la truffa, poi ne riparliamo.

Ci liquidò in cinque minuti, esterrefatto, quasi sul punto di chiamare in soccorso i vigilantes. Era un uomo alto e distinto, levigato dalle saune e addestrato dalla palestra, una specie di clone involgarito di Harrison Ford. Con la stessa espressione da merluzzo stupefatto del divo di Hollywood.

– Non ci ha preso sul serio, – avevo commentato, sconsolato.

– Controllerà. Ne va del suo riverito culo, – aveva replicato l'inossidabile Zaphod.

Aveva ragione lui. Mezz'ora dopo Harrison Ford, invecchiato di trent'anni, si teneva la testa tra le mani e mormorava, allibito, un rosario di «Ma come ha potuto! Ma come ha fatto...»

Chissà da quanto tempo Enrico pregustava quel supremo trionfo. Lo vidi snocciolare cifre, dati e date con una lucidità impressionante. Demolí in quindici righe il Moneytax e giurò che anche se lo avessero torturato non avrebbe mai rivelato le procedure a cui aveva fatto ricorso per smantellare il gioiellino di famiglia. Il volto di Harrison, mentre Enrico parlava, era un capolavoro dell'arte astratta: nemmeno un camaleonte in calore sarebbe riuscito a cambiare cosí tanti colori in dieci minuti.

Alla fine, l'amministratore delegato, slacciandosi il colletto della camicia, esalò la fatidica frase: – Ma lei... esattamente... che cosa chiede?

– Parli con il mio avvocato, – disse Enrico. E senza degnare di un'occhiata il disperato capitalista, raccolse le sue carte e inforcò l'uscita con il portamento di una grande attrice.

Il consiglio d'amministrazione ci mise tre giorni a decidere. Alessia, Enrico e io ingannavamo l'attesa giocando a Mah-jong in un alberghetto dalle parti di corso Buenos Aires. Alessia ci stracciava regolarmente. Infine, arrivò il segnale tanto atteso. Harrison Ford ci ricevette in una grande, elegantissima sala alle cui pareti facevano bella mostra di sé due Balla e un Kandinskij.

– Tenuto conto delle circostanze, *dottor* Testi...

Tenuto conto delle circostanze, la banca preferiva evitare uno scandalo. D'altronde, in tempi di rivoluzione giudiziaria, non conveniva a nessuno stuzzicare la curiosità degli aborriti giudici. La restituzione della somma, un miliardo e mezzo, deponeva per la buona fede del dottor Testi, che aveva inteso unicamente portare a conoscenza della direzione, sia pure con un metodo a dir poco originale, le falle di un sistema a proposito della cui adozione si era evidentemente incorsi in un palese errore di valutazione. L'operazione si era tradotta, paradossalmente, in un vantaggio per l'istituzione. Ovviamente, la singolare procedura adottata, potendo costituire un pericoloso precedente, rendeva impossibile la prosecuzione del rapporto fiduciario tra il dottor Testi e la banca. Altrettanto ovviamente, la liquidazione che al dottor Testi spettava di diritto si doveva ritenere assorbita dalle plusvalenze lucrate attraverso il transito della somma asportata sul conto del percipiente.

– Ovviamente, – concluse Harrison, con un largo sorriso, – l'istituzione che rappresento è pronta, sin da questo momento, a sottoscrivere un contratto di consulenza esterna con il dottor Testi...

Quando vide la cifra stampigliata sull'assegno che l'amministratore gli tendeva, Enrico impallidí. Impallidii anch'io, che con il dieci per cento che avevamo stabilito avrei potuto degnamente sopravvivere per almeno quattro-cinque anni. Enrico firmò senza pensarci su due volte e Harrison Ford gli elargí una vigorosa stretta di mano.

Quella sera festeggiammo con un autentico baccanale. Completamente ubriaco, ballai la conga con Alessia, mentre Enrico dissertava sulla volgarità delle macchine mal programmate, cercando di far penetrare nella mia zucca restia alcuni concetti fondamentali, tipo «nelle vuote occhiaie verdi di un display si gioca la partita decisiva tra la stupidità dell'uomo e la superiorità dell'animale».

Da quel momento in avanti non ci fu banca, assicurazione, governo che non sottoponesse i propri sistemi di sicurezza al vaglio preventivo di Zaphod. Dal mio modesto e ingrugnato amico vennero prodotti saggi basilari sulle frontiere dell'intelligenza artificiale e, a mio esclusivo uso e consumo, un libello d'una ventina di pagine dal titolo emblematico *Guida galattica all'arte di truffare le banche con un'appendice zen su come riuscire ed essere felici*.

Lo regalai, un giorno, a un'hostess del Suriname della quale m'ero incapricciato. Zaphod avrebbe approvato. Un po' alla volta, quando riuscii a impratichirmi dei rudimenti del web, i nostri contatti divennero quasi esclusivamente virtuali. Una volta mi telefonò una società finanziaria di un certo prestigio. Cercavano un avvocato su Roma. Enrico aveva fatto il mio nome. Rifiutai l'offerta. Potevo sopportare una truffa solo se artigianale e a fin di bene.

Con il fiato corto e un certo batticuore arrancavo per le stradine di Zagarolo. In alto, poco lontano, sorgeva l'antica villa del notaio che Zaphod aveva ristrutturato, e dove lui e Alessia vivevano circondati da conigli, capre, galline, cani, tutti inverosimilmente vigorosi e vitali, accuditi, vezzeggiati, coccolati dall'ingenua innocenza di Alessia.

23.

Fu lei ad accorgersi per prima della mia presenza. Alessia lasciò andare il grosso collie col quale stava giocando e corse verso di me con gli occhi lucidi. Ci abbracciammo con gran calore e ci dirigemmo alla casa di arenaria scortati da un codazzo festante di animali.

Zaphod era invecchiato appena. Parlava sempre poco e male, come un nomade alle prese con le insormontabili asperità di una lingua straniera. Ma i suoi occhi erano meno arrossati del solito.

– Guarda là, – fu il suo ruvido saluto. Seguii il suo secco indice e il mio sguardo approdò a un grosso camino che, come per magia, s'illuminò di mille, coloratissime luci intermittenti.

– Benvenuto, amico mio. Benvenuto in questa casa della gioia!

Era una voce femminile. Il timbro era un po' acuto, ma lasciava trasparire un'inequivocabile nota di dolcezza. Mi girai di scatto. Alessia batteva le mani, eccitatissima, e nei suoi occhi s'era accesa una luce magnetica.

– È la sua voce, – spiegò Zaphod. – La voce che avrebbe se potesse parlare. Ma lei non può parlare. Cosí al suo posto parlano le mie macchine. Quando ho nostalgia di una voce, mi basta comporre una sequenza. Io so sempre che cosa Alessia sta per dire.

Lei annuí decisa. E io compresi che cosa provavano gli astronauti alle prese con i mostri dell'Id, e la fronte serena di Enrico mi parve quella vasta e solcata di rughe di Walter Pidgeon nel *Pianeta proibito*.

– C'è anche la tua voce, Valentino, se hai un attimo di pazienza.

– Enrico...

– Sai che quel nome non mi piace!

– Scusa... Zaphod, sono nei guai. Mi serve il tuo aiuto.

– Dopo. Ora si fa festa.

Fu una cena superlativa. Vino rosso nobile e un sublime pasticcio aromatico.

– Ma cos'è, Zap? Maiale? Coniglio?

Alessia scosse il capo con violenza, come per respingere la mia domanda. Zaphod le carezzò i capelli.

– Valentino non ha ancora capito, Alessia, bisogna perdonarlo. È solo un umano, anche se ha i suoi lati buoni. Quando si vive in mezzo agli animali, non li si può uccidere. E non viene voglia di mangiarli.

– Allora questa è...

– Verdura, ovviamente. Semplice, assoluta verdura. Qua la terra è ricca. E i cavoli, a differenza dei polli, ricrescono.

La cena fu gaia. Alessia s'era addormentata. Un gatto grigio ronfava acciambellato nel suo grembo. La sua innocenza mi fece pensare a Nicky Alga-Croce. Né lei né quel bambino avevano nessuna colpa per il mondo nel quale vivevano. Ma a chi spettava difenderli? E con che mezzi? E soprattutto: chi mi dava il diritto di giudicare? Zaphod tirò fuori una caraffa di ceramica di Grottaglie e riempí due bicchieri del suo cocktail preferito: tequila e fichi d'India macerati. Una bomba a scoppio ritardato che solo pochi eletti erano in grado di reggere.

– Io non amo gli umani, Valentino. Non sono stati

generosi con noi due... almeno finché non sono diventato un delinquente. Allora mi hanno legalizzato. All'improvviso...

– È successo altre volte nella storia. Prendi i piantatori di caffè. In principio, quando il caffè era considerato una droga, li squartavano o li appiccavano. In realtà, lo scenario punitivo mascherava una spietata guerra per il controllo dei mercati.

– Queste cose non m'interessano. La scienza è un'altra cosa. Questi sono problemi da umani.

Buttai giú un sorso abbondante di sbobba e gli feci la domanda che avevo rinviato per tutta la sera.

– È un modo elegante per farmi capire che non vuoi aiutarmi?

– Non dire fesserie. Vieni con me.

Afferrai la caraffa e lo seguii sul terrazzo. Faticai ad aprirmi un varco tra la quantità inverosimile di fili e di terminali che sembravano anche loro dormire sotto un cielo incredibilmente stellato.

– Sai, Zaphod, una volta ho letto in un libro che i marinai odiano il cielo stellato.

– Le stelle dal punto di vista poetico mi lasciano del tutto indifferente. Le relazioni matematiche tra i corpi celesti: quelle sí che sono affascinanti. Poi, i poeti non hanno mai fatto un accidente per l'umanità.

– Perché lavori qui?

– Perché ho passato troppi anni nelle fogne. Le mie macchine hanno diritto al meglio. Luce, aria, sole, spazio... e anche stelle! Avanti, dimmi tutto.

Ascoltò in religioso silenzio, e quando gli consegnai il reperto di Latif abbozzò un sorrisetto arrogante.

X-PERSONA: < ID >
RECEIVED: BY HOST; TUE, 13 MARCH 2001 10:42:05 + 0200
MESSAGE-ID:

<D05451D06005D411A63A00508B55DB9A0
FROM:
TO: <SBL.4289@
SUBJECT: UNDELIVERABLE:
DATE: TUE, 13 MARCH 2001 10:42:05 +0200
DE: 44
ATUS: U
IDL: OsSpEtHkHRSpyAE

– Bene, Valentino. SBL.4289@ è la prima parte di un indirizzo di posta elettronica...

– C'ero arrivato da solo, – mormorai, alquanto risentito.

– Facciamo progressi, eh? Ma è un indirizzo incompleto. Non sappiamo su che server si appoggi questo signor SBL.4289...

– Ma possiamo scoprirlo?

– Il tag «de 44» guarda questa bruciatura nell'header... è l'ultima parte di una dicitura che... se non sono del tutto rincoglionito... dovrebbe significare code 44... codice 44...

– Quindi?

– Un codice di solito indica un ordine. Comincio a vederci chiaro. «To» vuol dire che qualcuno scrive a «SBL.4289» e attiva il «codice 44». Quindi, un contatto tra due operatori. Uno è «SBL», l'altro, From, non sappiamo chi è. Un contatto avvenuto via Rete, tramite posta elettronica... non sappiamo su che server, ma lo scopriremo.

– Va bene, ma non perdere tempo con le spiegazioni. Sai che sono una capra.

– Sbagli, Valentino. Stai fuggendo dal presente. È un grave errore. Studia. Se davvero la pretesa neutralità della scienza ti crea tanti problemi, be', dovresti sentirti in dovere di intervenire. Non è giusto lasciare il controllo in mano a pochi.

– Tu sei uno di quelli, mi pare di aver capito.

– Io sono Zaphod, e Zaphod è unico e solo. Zaphod può andare dove gli pare, e nessuno nega un accesso a Zaphod. Perché Zaphod non sbaglia. C'era una volta un ragazzo molto dotato, si chiamava Kevin Mitnick. Tenne sotto scacco l'Fbi per quindici anni. Era bravissimo ad andare dove nessuno lo voleva. Un giorno commise un errore. S'introdusse nel sistema di uno piú bravo di lui. Un altro cacciatore, se vuoi chiamarlo cosí. Un giapponese di nome Tsutomu Shimomura. Fu preso. Un errore che io non avrei mai commesso. Capito il messaggio?

Mi sistemai alle sue spalle. Cifre luccicanti e segni verdi scorrevano in rapidissima successione sullo schermo. Le dita di Enrico sfioravano appena la tastiera sulla quale apparivano e scomparivano figure impercettibili.

– Questa è la vera segretezza, amico mio. Nessuno può manipolare questa tastiera all'infuori di me. Non solo la tastiera reagisce alla particolare sensibilità delle mie dita, ma se per caso ci fosse al mondo un uomo con le mie stesse, identiche impronte... be', allora dovrebbe decifrare la chiave di questa scrittura... Ma è altamente improbabile, perché questa scrittura sono stato io a idearla.

Il genio di quel solitario mi spaventava. Che ne sarebbe stato dell'umanità se gli avessero dato pieni poteri? Ci avrebbe distrutti tutti? Avrebbe preservato dall'olocausto elettronico solo i conigli e Alessia? E me? Sarebbe stato poi un cosí grave danno?

– Mmm... cominciamo da quello che ci è noto... SBL. Ha tutta l'aria di una sigla... Vediamo se corrisponde a un sito... Oh, eccolo qui... Zurigo... eccolo qui... SBL... Swiss Bank for Life... Ti dice niente?

– Banca svizzera per la vita... non ne ho idea.

– Bene, vediamo di saperne di piú. Qui hanno una specie di presentazione ufficiale. Certo che se ci sono dei segreti, non stanno qua dentro... comunque... Come te la cavi con l'inglese?

– Mi arrangio.

– Leggi.

La Banca svizzera per la vita è stata fondata nel 1982. Nel 1985 ha ottenuto il riconoscimento da parte dell'Onu. Nel '91 una convenzione, detta di Cohué-Verac, ha regolamentato il diritto d'accesso dei centoquindici Stati firmatari ai servizi offerti dalla banca. Presidente è il deputato cantonale e membro del Consiglio dei saggi Hans Frix.

– Allora?

Zaphod era sinceramente incuriosito, e anche un po' divertito dalla mia perplessità. Lui mi metteva i dati a disposizione, ma io ero incapace di interpretarli.

– Non ci dice che cosa fa questa banca, – lo incalzai.

– Un passo alla volta, Valentino.

Lessi ancora. Scopo precipuo dell'istituzione era «un complesso di interventi umanitari a sostegno delle popolazioni colpite da calamità naturali nei Paesi in via di sviluppo, dei cittadini discriminati per ragioni di carattere politico, confessionale, professionale o sanitario nel quadro di un generale progetto di sviluppo delle pacifiche relazioni tra i popoli del Nord e del Sud del mondo». Lo statuto definiva l'ente «morale e assolutamente privo di qualsiasi finalità di lucro».

– E allora? – insisté Zaphod.

– Non so, sembrano dei filantropi, ma il linguaggio non mi convince. Sa di setta. Mi piacerebbe sapere di che sovvenzioni godono, chi li mantiene. Mi piacerebbe sapere che cosa collega un nero morto ammazzato con questa misteriosa banca...

– Può darsi che quel tipo che hanno ucciso fosse una

specie di ambasciatore, un pezzo grosso dei Paesi del Terzo mondo...

– Ma se faceva l'autista!

– Spesso le apparenze ingannano.

L'ombra del sospetto che avevo concepito sul conto di Rod s'ingigantiva. E mi lacerava. Un sospetto nero come il cuore.

– Scusa, Zap, ma sin qui abbiamo letto tutte cose pubbliche. Io voglio saperne di piú.

– Credi che non ci stia provando? Il problema è entrare all'interno del sistema dov'è ospitato il sito.

– Una specie di violazione di domicilio.

– Anche peggio. Poi una volta entrati dobbiamo identificare il server dove sono le home... dove tengono la posta, insomma... entrarci e rintracciare questo corrispondente che ha lanciato il «code 44». Ma non è facile entrare nella LAN; i vari protocolli viaggiano su migliaia di porte logiche di comunicazione, e molte vengono bloccate per proteggersi da intrusioni... o dal famoso DOS.

– DOS? Quel DOS?

– No, certo –. Zaphod rise. – DOS come Denial of Service, servizio negato. È quando il sistema si blocca a causa del bombardamento di milioni di richieste simultanee. La passione dei giovani cracker perché è alla portata di chiunque. Un sistema rozzo ma efficace... facile come farsi beccare.

– Zaphod, senti...

– No, senti tu, bestia! Dunque, porte logiche: esattamente come fossero diversi canali o frequenze radio. Convenzionalmente, i trasferimenti in ipertesto si appoggiano alla porta 80... FFTP lavora sulla porta 21... Napster usa le porte alte, 6666 o 7777... una rete locale LAN si protegge verso l'esterno con un firewall, che sbarra le porte ogni volta che cerchi di entrarci, e con un proxy, che ti fa credere di stare comunicando con un computer diverso. È dura, Val... Hanno tutta una serie di sbarramenti incrociati. Chi ha curato la sicurezza di questa gente è uno che sa il fatto suo. Tanto di cappello. Può darsi che abbiano veramente qualcosa da nascondere. Mi serve un po' di tempo... oppure...

– Oppure?

– Bah, potremmo interrogare gli archivi dell'Onu, esplorare le pratiche per il riconoscimento, oppure chiedere all'Interpol. Magari, da qualche parte nel mondo una polizia sta indagando su di loro.

– Puoi farlo?

– Vuoi che mi offenda?

– Ma è... legale?

– Certo che no. È un problema?

– Vuoi che mi offenda?

Andammo avanti per qualche minuto, Enrico sempre piú nervoso, io sempre piú incupito. All'Interpol non risultava niente. L'Onu aveva concesso il riconoscimento in seguito alla malleveria di quattro Stati. Solo i russi si erano opposti. Ma erano altri tempi: i russi contavano ancora qualcosa.

– Oh, finalmente! Sono riuscito a entrare... ecco qua. Ma non abbiamo molto tempo. Ho lanciato un attacco DOS per distrarli... cosí impari a cosa serve: rallenta anche noi, ma blocca ogni altro accesso. Tempo cinque minuti e saremo identificati, quindi dobbiamo sganciarci prima... Dunque, ora si tratta di acquisire i diritti di super user ed entrare nella posta... Certamente useranno un server sicuro, criptato con una chiave a 1024 cifre. Ne conosco almeno un paio che ultimamente vanno assai di moda... ma hanno le loro backdoor. Proviamo con tessbond... No, negativo...

– Zaphod, sul serio, non mi va che rischi per me... magari...

Lui non mi degnò e riprese a diteggiare con rinnovato entusiasmo.

Fissai il cielo stellato, poi la valle luminescente dalla quale saliva uno stupefacente effluvio di fiori e di erba umida. Sotto di noi c'erano persino delle lucciole, e di tanto in tanto brillava il cristallino fluorescente di un gatto o di un'altra creatura della notte. Un ritmo stregonesco animava l'eccitazione di Zaphod. Il futuro era nelle sue mani. Mi augurai che ne facesse buon uso.

– Eccolo qua, l'animale! Usa husspluss. intercom... Mmm... c'è una bella lista di password... Sí, è come pensavo... il «code 44» è frequente. Vediamo un po'... ma di solito è «SBL» che lo attiva... ma noi sappiamo che «mailto SBL», quindi qualcuno attiva il codice 44 sugli svizzeri. Proviamo a vedere se c'è qualche codice in entrata... Ecco qua, ne abbiamo uno nel... mese di marzo... uno solo, se sei fortunato...

– Zaphod?

– Ah, sí, scusami... bene, se sei fortunato... hai una richiesta.

– Ossia?

– Il client remoto... questa è la sua sigla, vedi... chiede, o meglio, ordina qualcosa al centrale...

– Cioè alla Banca per la vita.

– Già.

– E che cosa chiede?

– Codice 44. Cioè una cosa semplicissima: cancellare dalla memoria centrale tutti i dati relativi a una certa operazione.

– Quale operazione?

– Ora mi chiedi troppo.

– E la banca?

– Ha obbedito.

– Quindi i dati sono stati cancellati.

– Vedo che cominci a capire.

– E non possiamo...

– Temo che sia passato troppo tempo... quattro mesi. No, nemmeno io posso resuscitare un cadavere cosí antico... poi dobbiamo sganciarci, ci stiamo pericolosamente avvicinando al tempo-limite... però, però, aspetta... controlliamo il terminale remoto.

– Perché anche lui...

– Ma certo, – si spazientí Zaphod. – Lui ordina di cancellare, ma potrebbe a sua volta aver conservato... mi dispiace, Valentino, siamo proprio a un punto morto.

La scritta lampeggiante sul display diceva: REMOTE RIP DATA OFF. Dati eliminati al terminale remoto.

Lo guardai disperato. Non c'era piú niente da fare. Per la prima volta percepii in Zaphod una specie di coinvolgimento emotivo.

– Sono di fronte a un limite, Valentino. Un giorno lo supererò, ma non questo giorno. Mi dispiace. Questi impulsi hanno esaurito il loro ciclo vitale. Sono morti.

– Ma i morti finiscono al cimitero. O vengono cremati. E anche in quel caso restano sempre le ceneri. Possibile che non esista un'urna per questi impulsi maledetti? Che ci sta a fare il «cestino»?

– Anche i migliori possono sbagliare, certo. Ma il cestino è proprio il primo posto dove ho guardato... prima «Trashcan» poi «Lost + Found»...

– E... niente?

– Niente.

Zaphod ci pensò su, poi mi lanciò un'occhiata tanto disarmante quanto furba.

– Non per rubarti il mestiere, ma tu come hai saputo che esisteva un codice 44?

– Te l'ho detto! Latif aveva quel pezzo di carta... Oh, Cristo santo! La carta!

– Bravo! Vedi che quando ti ci metti... Qualcuno ha stampato qualcosa, non so chi e non so cosa, ma qualcuno ha riportato tutta l'operazione... o una sua parte... su carta stampata. Lo feci anch'io, per precauzione, ai tempi della mia... diciamo retribuzione anticipata. Chiamala pure un'ingenua forma di attaccamento alla tradizione.

– E quindi, se riuscissi a mettere le mani su... ammesso che esista ancora... ma se Latif l'aveva...

– Ci sono due possibilità: gli svizzeri e il remoto. Gli svizzeri li lascerei perdere. Mi sembrano troppo protetti. Ma il remoto...

– Il remoto?

– Be', da qui vedo che sicuramente ha dato un ordine di stampa, e siccome non è poi quel gran furbo che crede, non l'ha cancellato; quindi ha voluto conservare una traccia.

– E naturalmente, Zaphod, tu sai chi è questo remoto.

– Ovvio. Si chiama Villa della Salute. Dev'essere una specie di clinica. Ti stampo l'indirizzo.

24.

Trasformati dall'ennesimo ritardo in un'orda di furenti sanculotti, i placidi pendolari della linea ferroviaria Roma-Cassino bloccarono i binari tra Anagni e Colleferro, paralizzando il traffico dalla capitale verso Napoli.

Avevo salutato Zaphod e Alessia alla stazioncina di Zagarolo alle quattro del pomeriggio, ma l'asfittico locale che era miracolosamente scampato al blocco tirò le cuoia, forse per tardiva solidarietà, a Colle Mattia. Dopo un'attesa gravida di tensioni sociali ottenemmo dalle Fs un servizio sostitutivo. Si trattava di una corriera modello Bolivia prima del «Che» che alle sette passate ci scaricò in zona Termini, dopo un'epica Parigi-Dakar fra infami tratturi e casolari calcinati dal sole.

Consumai un precotto prosciutto&cacio innaffiato da un litro di minerale a temperatura ambiente, allo stand di un ambulante di Guardia Sanframondi che si vantava di avere stretto la mano a Maradona. Tutt'intorno, i polmoni enfisematosi della metropolitana consegnavano a un'estate che sapeva di fetido Simun cairota un'inebetita umanità turistica dalle spente occhiaie a mandorla.

Comprai un paio di lenti a specchio dopo una forsennata trattativa che aveva l'unico scopo di compiacere il marocchino dai denti marci, recuperai l'Honda tappezzata di multe per divieto di sosta, versai l'inutile *bakshish* all'ineffabile posteggiatore abusivo e mi diressi verso la clinica polispecialistica Villa della Salute, sita in agro di Monterotondo.

Tutto ciò che sapevo era che uno scambio di e-mail legava la clinica alla Swiss Bank for Life. Da Villa della Salute avevano ordinato di cancellare ogni traccia di quello scambio. Ma qualcosa doveva essere rimasto su carta, se io ero potuto arrivarci grazie a Latif. Forse Latif era stato ucciso perché troppo curioso. E a Villa della Salute dovevano saperne qualcosa.

Un grosso fuoristrada per poco non mi scaraventò di là dal guard-rail. Mi chiesi, varcando la storica breccia di Porta Pia, se fosse davvero stato un buon affare liberare Roma dai preti per consegnarla alla tronfia congrega di bottegai, politicanti ed «esecutivi» con la loro tronfia arroganza pingue di fatturato&cocaina. L'agonia del tramonto faceva della via Nomentana un fiume di metallo che precipitava verso la periferia garibaldina in cerca di un impossibile estuario.

Naturalmente, poteva trattarsi di un grosso equivoco. I rapporti tra la clinica e la Swiss Bank potevano essere perfettamente leciti. Latif era un banale ricattatore e qualcuno aveva deciso di sbarazzarsene. Al era un nero traviato dalla metropoli, la Grande giungla di Caino: il cascherino di una banda che l'aveva punito per uno sgarro che non sarebbe mai venuto alla luce.

Il disco rosso e gonfio del sole svaní dietro colline calve dopo un ultimo uppercut al parabrezza arroventato. Ombre e smog prendevano possesso della campagna. Lontana la città, il traffico diradava.

Troppe coincidenze, troppi misteri. Troppo, per una conclusione cosí scontata. Pensieri di complotto mi attraversavano la mente. L'immagine di Rod li dominava. La scacciai con furia. Basta fantasmi. Dovevo solo andare avanti e sapere.

Superai il gabbiotto metallizzato della clinica senza ricambiare il saluto perplesso di un aitante portiere gallonato, e seguii le frecce luminose sino all'edificio della direzione sanitaria. Parcheggiai in uno spazio immerso in una piccola foresta di magnolie e di oleandri, insinuandomi a fatica nella crepa tra una Rolls e una Testarossa.

L'edificio era basso, funzionale. L'aria intorno era pura: insetti cantavano e lontane sonorità si accompagnavano allo sfarfallio dei televisori che rimandavano il classico lucore azzurrognolo dalle stanze che affacciavano su balconcini balaustrati. Passò una suora e mi squadrò risentita. Accennai un sorriso. Lei proseguí arricciando il naso, e prima di varcare la porta a vetri dotata di sistema fotocellulare si voltò a osservarmi: incuriosita, ma soprattutto sospettosa.

Accesi un sigaro. Naturalmente, potevano cacciarmi su due piedi. Niente li obbligava a darmi udienza. Stavo giocando al buio.

Sulla soglia si stagliò la sagoma robusta di un portantino in camice azzurro. All'estremità di una corta catena scalpitava un vigoroso pitbull dai minacciosi brontolii gutturali.

– Lei, dica! – mi apostrofò l'uomo, con un tono volgare e indisponente. – O dentro o via. Qui non è un parcheggio pubblico.

Mi avviai all'edificio della direzione sfiorando il cane, che lanciò un'occhiata speranzosa al portantino.

– Buono, Adolf! – lo calmò quello.

L'animale mi parve deluso. Abbozzai un cenno di saluto.

– Non si può fumare, – disse l'uomo, scoccandomi un'occhiata malevola.

Lanciai il sigaro nella notte e fui dentro Villa della Salute. Che non era precisamente la replica del pronto soccorso di *ER*. L'atrio era spoglio e discretamente illuminato da lampade a parete. Intorno al bancone della reception, una selva di cartelli. Una sola segretaria scrutava il vuoto elettronico dell'immancabile terminale. Regnava un ordine irreale. Un'anticipazione del *rigor mortis*, pensai con una gioia maligna, rimpiangendo lo straziante ma vitale bazar degli ospedali pubblici. Mi piazzai di fronte all'impiegata e pigolai un mite saluto.

Ci mise un bel po' ad accorgersi della mia presenza. Accadde quando annusò l'aria, come turbata da un persistente cattivo odore, e mi fece planare sotto il naso un modulo cinerino.

– Compili qui, prego.

Era piccolina, bruna, i capelli raccolti sulla testa, la pelle da sovraesposizione al solarium e un foulard di Hermès. Sapeva di rampantismo, aspirazioni piccolo borghesi, castità da parrocchia, orrore della politica e insostenibile leggerezza dell'essere.

– Si tratta di una cosa riservata, – sussurrai.

– Compili, prego, – ripeté, tornando a concentrarsi sul terminale.

– Signora...

– Compili, le ho detto! Lasci indirizzo e numero di telefono. È gradita un'e-mail. Sarà inserito in lista d'attesa. Entro novanta giorni potrà essere ricevuto da uno dei sanitari dell'équipe. Per il primario l'attesa è di sei mesi.

– Ma è una cosa urgente!

Parve irritarsi. Tanta ostinazione sconquassava l'ordine di un universo popolato di pazienti remissivi e luminari irraggiungibili.

– Qui non si fanno eccezioni per nessuno. Mi ha capito?

– Nemmeno per la Swiss Bank for Life?

– Poteva dirlo subito, dottore. Mi scusi... non avevo idea...

Neanch'io, se è per questo. Avevo rischiato e mi era andata bene. La segretaria, ora trasformata in una sorta di sorridente e disponibilissima hostess per la business class, mi invitò a seguirla.

– I rapporti con l'istituzione cui lei ha fatto riferimento, com'è noto, sono di esclusiva competenza del professore. La riservatezza, come ben sa, è tutto.

Attraversai l'atrio al fianco del mio nuovo angelo custode mentre una sottile punta di delusione cominciava a farsi strada. Riservatezza, ma se erano cosí pronti a incontrarmi non doveva essere poi tutto 'sto gran segreto. E una semplice segretaria era al corrente dei rapporti tra la clinica e gli svizzeri. Si trattava forse di un canale per clienti di riguardo? Questione di classe e di censo? Ma allora Latif e i dati cancellati...

Fui fatto accomodare in una saletta fornita di moquette marrone, alcuni dipinti alla maniera del Perugino e un Cristo paziente di scuola pisana, scrivania con Pc spento, mobile bar, un tris di telefoni dalla strana foggia modello Andy Warhol in crisi depressiva, *chaise-longue* di pelle maculata e poltroncina girevole di cuoio che, piú prudentemente, occupai.

– Il professore la raggiungerà appena possibile. Vado subito ad avvertirlo. Provvederà lui a metterla al corrente di tutti i dettagli. Se vuole scusarmi, io devo andare. Nel bar troverà whisky, cognac, amari, succhi e anche, se non ricordo male, del Campari soda.

Soggiogata ed eterea, la miss scomparve e a me non restò che attendere pazientemente il misterioso professore. Non avevo la minima idea di come affrontarlo. Potevo tirarla per le lunghe con il tema del ricco cliente che cerca... già, ma che cosa cerca? Insomma, dovevo estorcere delle informazioni e non sapevo da dove cominciare. Prima o poi mi sarei fatto scoprire. Si trattava di ritardare quanto possibile quel momento. Magari mi avrebbero cacciato, o dato in pasto al pitbull.

A giudicare dal dépliant che faceva bella mostra di sé sulla scrivania, non c'erano che due rimedi alla precoce senescenza dei ricchi, allo stress dei manager e al deperimento estetico delle belle donne: la rivoluzionaria terapia a base di ormone della fertilità donato, che veniva commercializzato da una nota multinazionale tedesca, o una settimana a Villa della Salute. Le due panacee potevano, all'occorrenza, essere cumulate.

Mi domandai se il successo della cura dipendeva dalla validità intrinseca del metodo o dalla qualità dei pazienti: nel secondo caso, era ovvio che poveri, subordinati e racchione erano comunque condannati a invecchiare in devastante bruttezza. La segretaria rientrò trafelata.

– Il professore sta arrivando!

Sorrisi e, volgendole le spalle, finii di leggere. Il prezzo del trattamento completo avvalorava fortemente la mia seconda ipotesi.

– Può andare, Ines, – disse una voce. Una voce maschile. Era scivolata autorevolmente nella stanza, scortata da un vago sentore di profumo arrogante. Un profumo che non mi era nuovo. Cosí come non mi era nuova quella voce. Posai l'opuscolo e mi voltai con studiata lentezza.

Il professor Poggi aveva timbrato sulle labbra dal disegno incerto il sorriso standard del primario ospedaliero. Ma nel riconoscermi ebbe un trasalimento. Era come se fosse stato per un istante sul punto di abbandonare il tradizionale aplomb per abbandonarsi a un'esplosione plebea. Magari l'avesse fatto. Se solo mi avesse dato un piccolo, piccolissimo appiglio... Ah, saltargli al collo, strappargli la cravatta e annodarla intorno al suo perverso pomo d'Adamo...

– Buonasera, avvocato Bruio.

– Buonasera, professore.

Ecco. Ci saremmo volentieri scannati a mani nude e invece recuperammo rapidamente la posizione, fissandoci, distanti e freddi, in un silenzio innaturale, concedendoci al massimo una sterile scaramuccia di occhiate che avrebbero voluto essere sprezzanti. Il professore armeggiò intorno al mobile bar, riempí di whisky due grossi bicchieri di cristallo e me ne offrí uno. Nel gesto, d'apparente innocenza, aveva avuto cura di evidenziare, con uno studiato movimento del braccio, un Rolex d'oro che brillava tra i peli perfettamente allineati del polso.

Sollevammo contemporaneamente i bicchieri e bevemmo fissandoci attraverso il prisma deformante del cristallo. Poi posammo all'unisono i bicchieri uno accanto all'altro. Pensai che Poggi si stesse chiedendo se la mia visita fosse dovuta agli svizzeri o a Giovanna. Scelse di attaccare sul terreno che gli sembrava piú favorevole. Estrasse dal cassetto alla sua sinistra una fotografia incorniciata, la posò sul ripiano della scrivania e la voltò verso di me.

Giovanna sorrideva, splendida, irraggiungibile, a un refolo di vento catturato dalla candida *pashmina* che le incorniciava le spalle. Un altro inverno, una spiaggia deserta, un cielo di piombo. E bravo il professore!

– Giovanna, – sospirò Poggi, teatralmente. – L'eterno incantamento della bellezza che ci rende ora eroi, ora buffoni. Sono al corrente, avvocato, delle recenti vicende. Non ci sono segreti tra me e Giovanna. Non posso dire che la sua impennata mi abbia rallegrato, ma non ne sono stato turbato piú di tanto.

I suoi occhi rilucevano di un piacere maligno. La sua voce era un pugnale di ghiaccio.

– E adesso dov'è lei? – chiesi, sforzandomi di apparire disinteressato.

– Devo confessare, – riprese lui in tono salottiero, – che la sua... comparsa l'ha indotta in tentazione. Come una passeggera folata d'imprevisto. L'onda della memoria. Dev'essersi sentita diversa da se stessa. D'altronde una donna cosí bizzarra, imprevedibile, ricca di fascino...

– Dov'è ora Giovanna?

– La vostra avventura...

– Avventura? Non la definirei cosí, professore, – lo interruppi, aggressivo.

– Diciamo... amore? – suggerí lui, beffardo.

– Diciamolo. O ha paura delle parole forti?

– Avvocato, avvocato! – sospirò blasé, versando per entrambi dell'altro whisky. – Per quanto mi riguarda considero l'amore una malattia infantile dell'erotismo. La verità è che le donne come Giovanna hanno costi esorbitanti, che lei non può permettersi.

– Costi, soldi... io l'amore non ho bisogno di comperarlo, caro professore. Piaccio *nature*.

Accesi un toscanello, gustandomi la sua smorfia disgustata da nemico del fumo. Bene, bene. Ma che vittoria meschina. Giovanna aveva scelto lui. Per me lei era adesso solo una foto lontana, fredda, distante.

– Mah, – riprese Poggi. – Si sfoghi pure, se ci tiene. Ma non immagina nemmeno lontanamente che tipo di persona sia Giovanna Alga-Croce. E lei, avvocato, si guardi! Se mi consente una valutazione professionale, direi che ha problemi di colesterolo, il fegato in disordine, qualche chilo di troppo, un sarto realmente mediocre. E quel sigaro puzzolente, poi! Le dà l'aria del frequentatore di ristoranti cinesi... sa, quelli dove usano tutta roba surgelata. Capisco che una bella donna capricciosa possa aver provato il brivido di un'emozione... ma un brivido. Un'emozione.

Era chiaro: voleva farmi perdere la calma. Mi stava trattando come il padrone tratta il servo ribelle. Mi stava spiegando perché c'è sempre chi sta sopra e chi sotto. Prima, immaginavo, dell'affondo finale.

– Non sono venuto qui per parlare di Giovanna, comunque, – dissi.

– Ah, no? Ma io ho ancora qualcosa da dirle, al riguardo. Sa forse, avvocato, che cosa indossare a un cocktail? A una cena di gala? Sul palco reale a Epsom? È in grado di partecipare con dignità a una battuta da Christie's? Ha un conto aperto da *Van Cleef&Harpel's*? Ho paura di no, avvocato... Vede, Giovanna è tutto questo. E aggiunga al quadro generale alcune piccole necessità, per lei irrinunciabili. La sauna al *Grand Hotel*. Il tè al *Medici*. La colazione domenicale all'*Augustea*... capricci, forse, ma la mancanza di tutto questo la ferirebbe in modo definitivo. Giovanna appartiene a un mondo in cui i destini s'intrecciano per tutt'altre ragioni che non l'amore.

Lasciai cadere il sigaro sull'oscena moquette e lo spensi schiacciandolo sotto il piede. La moquette sfrigolò. Poggi si accigliò. Sorrisi. Non dovevo cadere nel tranello.

– La pianti con questo tono di falsa commiserazione, professore. Quando Giovanna vorrà dirmi tutto questo, lo farà di persona.

– Si è chiesto perché è scomparsa dalla sua vita?

– Anche questo aspetto di sentirmelo dire da Giovanna, professore. Lei, piuttosto, è cosí certo che gli Alga-Croce siano ansiosi di accoglierla a braccia aperte?

– Cosa sarebbe, un tentativo di impugnare il fioretto, avvocato? La vedo piú tipo da clava, se mi consente... – Faceva il superiore. Ma era risentito. Incalzai.

– Sa che cosa dicono di lei? Che è un cane da salotto. Un piccolo, sussiegoso yorkshire al guinzaglio della sua padroncina che morde a comando. Non la farà sfigurare in società. Entri, entri pure dalla porta di servizio in quel mondo dorato dove già ridono di lei!

Accesi un altro sigaro. Ero riuscito in qualche modo a infastidirlo. Poggi doveva appartenere alla razza di quelli che non si accontentano di vincere. Lui puntava all'annientamento del nemico. Ogni forma di resistenza lo feriva dolorosamente.

– Lei non è che un misero avvocaticchio. La compiango. Torni ai suoi clienti e dimentichi tutto questo...

– È una minaccia?

– È un consiglio. Un consiglio che può anche riferire a chi l'ha mandata qui...

– Nessuno mi ha mandato qui.

– Meglio. Ma si ricordi che io sono il professor Mario Poggi. Mio padre era senatore del Regno e cavaliere della Repubblica. Mia madre dama di corte di sua maestà la regina. Non sono un parvenu come il vecchio Noè, io. Lo tenga bene a mente. Se c'è qualcuno che è in debito nei miei confronti, sono proprio gli Alga-Croce. Io non devo entrare in nessun mondo dorato. Io *sono* il Mondo Dorato!

Aleggiava nell'aria il carico greve delle maiuscole. Lo sforzo oratorio l'aveva esaltato. Riattizzai il sigaro e accentuai il sorrisetto.

– Le mostrerò qualcosa, – proclamò Poggi, alzandosi di scatto.

Scostò il quadro con la pingue Madonna dalla quieta aria contadina che ingentiliva la parete alle spalle della scrivania, rivelando una piccola cassaforte. Maneggiò con rapidi scatti la serratura, estrasse dalla cavità un involto, tornò a sedere con l'espressione apparentemente remissiva del pugile che sta per sferrare il colpo del Ko. Infine, dopo averlo sfilato da una cartellina trasparente, posò trionfalmente sul ripiano un volumetto con la sovraccoperta di tela bianca.

– Tutte quelle chiacchiere su Giovanna... crede che sia cosí facile ingannarmi? Lei si è presentato spendendo il nome della Swiss Bank, quindi, ciò può significare una sola cosa...

Una pausa a effetto, poi picchiò con l'indice sul volumetto.

– Lei sta cercando questo.

Svaniva l'ipnosi, trascinandosi via l'immagine della profumata assenza di Giovanna. La mente libera riagguantava il senso della ricerca. Zaphod non si era sbagliato. La verità mi sembrava pericolosamente vicina.

– Allora esiste, – mormorai trasognato, allungando una mano verso l'oggetto del desiderio. Poggi afferrò ridendo il dossier.

– Per un po' ho pensato che l'avessero mandata qui... davvero. Ma mi rendo conto che lei... lei non sa nulla.

Trasudava piacere. Rivelare l'esistenza del dossier era stato uno stupido gesto plateale, perfettamente in linea con il personaggio, troppo innamorato di sé per non aspirare al colpo di scena. Non mi pentii di quell'esclamazione istintiva. La scoperta del mio bluff l'aveva galvanizzato.

– Le piacerebbe sapere cosa c'è qui dentro, eh? Scommetto che muore dalla curiosità di saperlo.

Eh, sí. Stravincere era l'imperativo di Poggi. Umiliare l'avversario. Avrebbe scoperto il gioco per il puro piacere di annichilirmi? Sarebbe stato cosí sicuro di sé? La sua presunzione era la mia unica alleata. Ci puntai su il mio ultimo fiorino.

– Ha vinto, professore. Non posso competere con lei. È troppo forte per me.

Assaporò con una vibrazione di autentico orgasmo il piacere della resa. Si abbandonò sullo schienale della poltroncina con gli occhi socchiusi e parlò con il tono ispirato di chi va in estasi ascoltando le proprie parole.

25.

– Immagini, avvocato, di dover compiere una determinata impresa... – cominciò Poggi, tronfio e compiaciuto.

– Che impresa?

– Un'impresa defatigante. Originale. Terribile. Dapprincipio le possibilità di riuscita sono assai scarse. Pressoché inesistenti. Eppure, lei vuole con tutte le sue forze che essa si compia. Dirò di piú: dalla sua riuscita dipende la sua vita.

– La classica questione di vita o di morte.

– Vedo che ha afferrato il concetto. Ma, ripeto, una questione disperata. Da solo lei non è in grado di farcela. Ha bisogno di un aiuto. Il suo è essenzialmente un problema tecnico. Ciò di cui necessita sono conoscenze complesse, abilità speciali. È questo che le fa difetto. E c'è solo un uomo che può aiutarla... uno solo.

– Un valido professionista, intende?

– Un genio. L'unico e solo. Senza di lui l'impresa è destinata al naufragio. Lei vuole quell'uomo e deve averlo. Ma naturalmente, convincerlo a collaborare non è cosí semplice.

– Suppongo di dover ricorrere alla combinazione tradizionale: prestigio, potere, denaro...

– Sí, certo, e qualcosa in piú: fargli capire che gli sta offrendo la chance unica, irripetibile, di misurarsi con qualcosa di nuovo... Comunque, alla fine un accordo si trova. Vi associate. Lavorate al progetto fianco a fianco. Superate difficoltà incredibili. La vostra intesa si cementa, dando vita a un legame indissolubile.

– Sta diventando una specie di love story?

– No, certo... anzi, l'impresa riesce. Il risultato è lí. Tangibile. Concreto. Vivo. Tenga a mente questo, Bruio: vivo. Avete giocato una partita disperata e l'avete vinta! Nessun altro ci sarebbe riuscito. Solo voi.

I suoi occhi brillavano di una luce febbricitante. Ma il senso oscuro di quel messaggio continuava ad apparirmi indecifrabile.

– E allora?

Poggi sorseggiò dell'altro whisky. Goccioline di sudore gli imperlavano la fronte.

– Purtroppo – sospirò – non sempre c'è identità di giudizio tra chi è coinvolto nella partita e chi ne rimane estraneo...

– Vale a dire?

– Vale a dire che quella stessa impresa che a lei... che a voi pare esaltante... altri potrebbero giudicarla riprovevole... o peggio: turpe, schifosa... per gli aggettivi faccia lei. Comunque, la giudicano male. Questo è il punto...

– Mi faccia capire: ora come ora, se si venisse a sapere...

– Già. Se si venisse a sapere sarebbero guai. Quindi lei e il suo partner, se volete continuare a godere del profitto lucrato, avete il dovere di osservare il piú stretto riserbo sulla faccenda.

– Mi sta descrivendo i principî fondamentali della mafia, professore?

– Ma quando mai! Il problema è che non sempre la verità è opportuna. Il relativismo domina questo nostro universo, caro avvocato. Lei che è un giurista dovrebbe insegnarmelo. Mille anni fa gettavano giú dalle rupi i bambini deformi. I preti bruciavano le streghe. C'è ancora chi ritiene l'aborto un orrendo crimine contro la vita. E chi nel segreto dei suoi laboratori ha già clonato l'uomo e si prepara a esperimenti che farebbero impallidire il dottor Mengele. Io non dò giudizi e non ne accetto. Ragiono in termini concreti, po-si-ti-vi! Nel caso di cui ci stiamo occupando... la sua impresa... la vostra impresa... la segretezza è l'unico modo per assicurarsi che tutti gli sforzi non siano stati vani.

– Non fa una piega.

– Grazie. Ma questa è solo teoria.

– Non mi dica che c'è il colpo di scena...

– In un certo senso... Diciamo che la forza del legame garantisce lei e il suo amico perché nessuno dei due ci guadagna niente a rompere il patto di segretezza. La caduta dell'uno trascinerebbe inevitabilmente con sé l'altro. Tuttavia...

– Tuttavia?

– Eh! Tuttavia uno di voi due potrebbe, a un certo punto, ritenere che il contributo dell'altro alla realizzazione dell'impresa non sia di portata tale da giustificare l'equa divisione a suo tempo concordata. Costui desidera tutto per sé. Giunge a prospettarsi, come soluzione ideale, la scomparsa di scena del partner.

– Il classico regolamento di conti.

Poggi reagí alla battuta con una smorfia infastidita. Si passò una mano tra i capelli e versò l'ennesima dose di whisky.

– Diciamo l'insopprimibile volontà di potenza dell'essere, – riprese. – O, se preferisce, un termine piú classico: tradimento. Si tratta di un'eventualità puramente teorica, intendiamoci, ma ove si presentasse... lei dev'essere preparato a fronteggiarla.

– E in che modo?

Il professore tornò a sorridere, nuovamente rilassato.

– Occorre che il partner sappia che in qualunque momento il suo tradimento sarebbe la sua stessa rovina. Lei, pertanto, si doterà di documentazione inoppugnabile sulla comune corresponsabilità nell'attuazione dell'impresa. La custodirà con cura, facendo attenzione che, in caso di eventi fortuiti e non preventivati, sia comunque utilizzata a buon fine; una forza preventiva di dissuasione.

A sentirla cosí, gli intrighi di Bisanzio sembravano un film di Walt Disney. Riaccesi il sigaro. Una trama di poteri occulti ci avvolgeva.

– C'è un'eventualità che non mi pare sia stata presa in considerazione, professore.

– Lei dice?

– Già. Supponga che il mio amico... o io... uno dei due compari, insomma, sia colto da... da un ripensamento. Ecco. Questo tizio si rovina con le sue proprie mani. Confessa. Decide di sentirsi riconciliato con quella moralità della gente comune che non è all'altezza di accettare la grandezza della famosa impresa. Un'impennata della coscienza che nessuna logica di mercato potrà mai controllare. Uno di quei moti interiori che fanno la fortuna delle religioni.

– Ma andiamo! – Poggi rise. – La gente non è mai stata cosí religiosa come in questo inizio di millennio! Si combattono guerre per la religione, si abbattono statue secolari, si tortura pregando. Torquemada è di gran moda in tre quarti del mondo e lavora gratis, come al solito. Le pare che per questo il mondo sia piú equo o la gente piú morale? La sua ipotesi di una crisi morale è pura fantascienza. Si sforzi di cercare un movente piú credibile.

– La giustizia.

L'avevo sparata grossa, me ne rendevo conto. Poggi non me la lasciò passare.

– Giustizia! Debole, avvocato, debole. Ricorda Balzac? L'oro e la passione muovono il mondo, e non c'è passione che non si possa comperare con del buon oro. Lei che è di sinistra, dovrebbe ricordare quello che diceva Marx...

– Intende dire che la giustizia è una questione di rapporti di forza?

– Precisamente.

– Sa cos'ho capito dal suo discorso, professore? Che lei ha paura.

– Paura io? E di chi? Di che cosa? Di lei? Lei mi lascia indifferente, sia come presunto rivale che come investigatore dilettante. Diciamo piuttosto che sono consapevole di vivere in un mondo pericoloso. Chi come me occupa una posizione di prestigio deve guardarsi dall'invidia, dal risentimento dei mediocri, dall'avidità dei concorrenti. Se lei appartenesse al mio mondo, ragionerebbe allo stesso modo.

– Io il suo mondo vorrei vederlo semplicemente distrutto.

– Ah, sí? E come conta di riuscirci? Di quante divisioni dispone? È sicuro che tutto questo furore morale non dipenda dal fatto che non è ancora riuscito a trovare qualcuno disposto ad assicurarsi i suoi servigi a un prezzo conveniente, avvocato Bruio?

– Sa cosa le dico, professore? – dissi alzandomi. – Tutto questo parlare per metafore mi ha rotto. Vorrei proprio dare un'occhiata a quel dossier.

Poggi scosse il capo, afferrò il volumetto e lo ripose nella cassaforte. Mentre girava la manopola, mi divertii a osservare i suoi movimenti: tre giri a destra, due a sinistra, due altri a destra. Non si sa mai. Potevano servire, una volta o l'altra.

– Basta cosí. L'avverto che per quanto ideologicamente contrario a ogni manifestazione di violenza, sono pronto a ricorrere alla forza fisica per tutelare la mia incolumità personale. In questa clinica ci sono almeno venti portantini e altrettanti pitbull pronti a farla pentire di essersi introdotto con l'inganno. E ammesso che lei riuscisse a sopraffarmi nel corpo a corpo, cosa di cui dubito fortemente, constatando il suo stato psicofisico ed essendo ben consapevole della mia abilità nella lotta giapponese, se anche le riuscisse, prima di raggiungere l'uscita sarebbe inesorabilmente bloccato. Pertanto, la saluto e la invito a scomparire per sempre dalla mia vita.

Aggredirlo? Sfidare i cani? Cercare di coinvolgere Del Colle in una piú approfondita indagine? L'oscura allocuzione del professore mi aveva convinto che la morte di Latif, e forse anche quella di Al, erano legate al segreto del dossier. Un segreto che coinvolgeva Poggi, gli svizzeri, e forse anche...

In quel preciso istante sulla porta si stagliò un massiccio profilo che non faticai a riconoscere. Anche se l'avevo visto in una sola occasione, il colonnello Petrovic non era uno di quei soggetti che passano inosservati. Tozzo come un parallelepipedo di muscoli, squadrato come lo Schwarzenegger della stagione d'oro, apparentemente di ottimo umore, andò a stravaccarsi sulla *chaise-longue*, che lo accolse con un coro di minacciosi scricchiolii.

– *Da*, proprio una bella compagnia! – disse, accavallando con grande naturalezza le gambe.

26.

Petrovic non portava calzini, e gli Hogan erano stati rimpiazzati da morbidi mocassini marrone. Per quanto fasciato in un pretenzioso completo dalle venature antracite, il suo era il tipico look del militare in libera uscita: nostalgia della mimetica madida di sudore o, chissà, di una pelle di leopardo.

– Ehi, perché state in piedi come due pupazzi? – esclamò ridendo. – A sedere, su!

C'era nella pastosa allegria del suo accento slavo un'inattesa vena ironica che mi spinse a scivolare sulla poltroncina. Il professore restò ostentatamente in piedi.

– La tua visita non era prevista, – precisò gelido.

Petrovic sbadigliò pigramente.

– Non è un buon motivo per non offrire whisky agli amici.

Poggi strinse i pugni fulminandolo con un'occhiataccia che il russo ignorò, avviandosi alla bottiglia con un ghigno sprezzante.

– Whisky, avvocato?

– Grazie.

Afferrai il bicchiere che mi aveva porto. Gentile, quel Petrovic, tutto sorrisi e disponibilità. Si sarebbe detto un vecchio amico. Situazione strana.

– L'avvocato ci sta lasciando, – sibilò Poggi.

– L'avvocato non va da nessuna parte, – precisò il russo.

Vidi lo stupore dipingersi sul volto del professore. Sí, la situazione era strana. Con me il militare faceva l'amicone, con il professore faceva il duro. Eppure, quando me li avevano presentati, avevo pensato che Petrovic fosse solo un tirapiedi; ma come diceva il vecchio Alga-Croce, se avesse dovuto scegliere tra i due... già, se avesse dovuto scegliere tra i due... Un brandello di inquietante verità cominciò a farsi strada nella mia mente.

– Bene, io dico che l'avvocato va! – disse minaccioso Poggi, picchiando il pugno sulla scrivania.

– Io non credo, – lo rintuzzò Petrovic, tranquillo. – Qualcosa in contrario?

Il russo aveva appena scostato la giacca. Sotto l'ascella, dalla parte sinistra, riluceva cupamente una lunga pistola nera. Un'arma vera. Una pericolosa arma vera nelle mani di un uomo che aveva tutta l'aria di un assassino. Che forse, anzi, che sicuramente era un assassino. Un lungo brivido mi percorse la schiena.

– Qui, a casa mia? Ma sei impazzito?

Il professore si lasciò cadere sulla sedia. Improvvisamente rinsecchito, rivelava rughe profonde sulle pieghe del collo. Avevo mille ragioni per temere Petrovic, ma la disfatta di Poggi mi colmava di gratitudine e di un velenoso piacere.

– Guardi che se continua cosí il professore chiama i portantini e i cani, colonnello, – dissi con finta sollecitudine.

Petrovic apprezzò la battuta e si abbandonò a una secca, inquietante risata.

– Andate via! – sibilò Poggi.

– Tu non dài piú ordini, – disse il russo. Sorrideva ancora, ma la sua mascella s'era minacciosamente serrata.

– Hai trovato chi ti paga meglio, vero, miserabile?

Petrovic smise di sorridere. La sua mano corse alla pistola. Poi parve ripensarci e si strinse nelle spalle.

– Niente di personale, professore. Ma chi tu sai non ha gradito tue ultime decisioni. Lui è molto, molto arrabbiato.

Mi veniva voglia di ricordare a Poggi le frasi che mi aveva appena ammannito sul tradimento e sulle spietate regole che governano il suo mondo. Il professore era letteralmente terrorizzato.

– E allora, andiamo, – tagliò corto il russo. – Come dite voi romani? Diamoci una mossa. Professore, tu hai cosa che non appartiene a te. Sai di cosa parlo. Anche avvocato sa. Tu sai cosa succede se perdo pazienza, Poggi. Dammi quello che cerco. Ho fretta. Devo portare avvocato in incontro molto, molto importante...

Altro che improvvisata! Il russo cercava anche lui il dossier. E voleva me. Qualcuno, certamente il suo capo, gli aveva ordinato di condurmi da lui. Il quadro cominciava a farsi chiaro. Ma io non volevo essere portato da nessuna parte. Non da un uomo armato e pericoloso come il russo. Cercai di scivolare accanto alla porta.

– Allora, professore?

Il russo si avvicinò alla scrivania. Poggi se ne stava rigido contro lo schienale della sua inutile poltrona da primario, chiuso in uno sdegnoso mutismo, e mi fissava. Fu seguendo il suo sguardo che Petrovic si accorse della mia manovra.

– Fermo, avvocato! Io non devo fare male, capisci? Però fermo, per favore.

Sembrava dispiaciuto del mio velleitario tentativo di fuga. E forse si stava domandando se non era il caso di mostrarsi meno gentile e piú concreto.

– Va bene, – lo rassicurai alzando le mani. Lui tornò a concentrarsi su Poggi.

– Allora, professore? Non fare cretino. Capisci che partita è persa? Se tu dài a me ora libro che cerco, eviti altri guai... Tu vuoi evitare altri guai, vero?

– Non è qui! – soffiò gelido Poggi, accennando con un impercettibile moto del capo alla porta della stanza.

Ah... cercava la mia complicità! Ora capivo. Petrovic ignorava dove si trovasse il dossier. Poggi stava cercando di guadagnare tempo. Avrei dovuto convincere il russo che il dossier era nascosto chissà dove. Poggi pensava forse di allertare i suoi portantini e i famosi cani.

– Professore, non mi costringere, prego!

– Come stavo dicendo prima all'avvocato, ho preso le mie precauzioni.

– Mia pazienza non infinita.

Il dito di Petrovic artigliava rabbiosamente il grilletto. Qualunque cosa decidessi, dovevo far presto. Probabile che sparare a Poggi nella sua stessa clinica fosse un rischio eccessivo, ma la natura del personaggio poteva prendere il sopravvento. Il russo aveva detto che il suo incarico era di portarmi da qualche parte. Ma se fossi diventato il testimone di un omicidio...

– Petrovic!

– Dimmi, avvocato.

– Nella cassaforte. Sotto il quadro. Tre giri a destra, due a sinistra, altri due a destra...

– Quel quadro? Bella Madonna italiana. Complimenti, professore.

Prima di scostare il quadro, il russo si fece il segno della croce. Poggi chiuse gli occhi, e quando li riaprí il dossier era nelle mani di Petrovic. Mi scoccò un'occhiata delusa.

– La ucciderà, avvocato. Lei ha commesso un grave errore. Quando lui si accorgerà che...

Petrovic gli girò le spalle e gli vibrò un unico colpo

di taglio alla tempia. Un colpo secco, da professionista. Poggi si accasciò senza un lamento.

– L'ha ucciso!

– Non diciamo cazzate. Domani sta meglio di oggi. Qua nessuno muore. Nemmeno tu, avvocato. Io ho ordine di trattare con massimo rispetto. Finora tu sei andato bene. Ma cominciano a girare coglioni. Andiamo!

Sbucammo nel parco di Villa della Salute da un'uscita secondaria. La notte era fresca: da un cielo infuocato di bagliori lontani piovevano stelle in fondo all'orizzonte, gli oleandri ondeggiavano a una brezza sostenuta e la strada verso la verità passava per la pistola ingovernabile di un russo pazzo che aveva il compito di introdurmi al capo dei cattivi. E io temevo di conoscerlo, questo signore.

– Quale tua macchina? – chiese Petrovic. Indicai l'Honda coperta di guano, foglie secche, polvere. Lui scoppiò a ridere.

– Ma che legge avete qui? Cristo santo, con macchina cosí tu non puoi girare!

Feci scattare la serratura senza rispondere.

27.

Il portiere era andato a nanna, e il cancello automatico ci diede via libera ronzando in un turbine di polvere e d'insetti.

Petrovic canticchiava *Una carezza in un pugno* mescolando parole russe e italiane. Di tanto in tanto scuoteva la testa con autentico entusiasmo.

– Adriano Celentano è grande!

Perché il Grande Burattinaio voleva incontrarmi? Per accertarsi del mio livello di conoscenza dell'intera storia? Cercava un accordo?

Svoltammo da un viottolo sterrato nella buia linea della Nomentana Vecchia.

Che ne sarebbe stato di me? Ero stato un pazzo a spingermi cosí avanti. Non avevo nessuna speranza di cavarmela. Ero solo. Solo nella notte.

Poi sentii la musica. *Bik-Biko-Because of Bi-ko-Biko!*... l'inno della rivoluzione nera ritmato dalla voce bianca e roca di Peter Gabriel. Rallentai e scorsi, ferma sul bordo della strada, la vecchia Volvo station wagon di Michael il giamaicano. E capii che non ero piú solo. Che non lo ero mai stato.

La Volvo mi concesse due-trecento metri di vantaggio, poi si accodò, tenendo la scia. Petrovic non si era accorto di niente. Continuava a canticchiare Celentano e si godeva il paesaggio notturno. Indolente e astuta, la macchina dei neri scivolava invisibile a fari spenti, e la sua musica strappava squarci di luce all'oscurità. Per tutti non era che un ectoplasma, una bagnarola sfasciata con a bordo quattro neri in T-shirt e jeans che fumavano e si rincoglionivano di rock. Per me era il ritorno alla vita. Petrovic sembrava decisamente di ottimo umore.

– Di', avvocato, vero che tu sei comunista?

– Il comunismo non esiste piú.

– Già. Peccato. Quando c'era comunismo, Russia temuta, rispettata. Io colonnello di Armata rossa. Grandi soldati. Poi comunismo muore e tutto finisce...

– Petrovic... che succede dopo?

– Dopo cosa?

– Dopo.

– E chi lo sa? Denaro, donne, morte... tutto può essere. Mia missione finisce adesso. Io consegno te, poi...

La Volvo era saldamente incollata allo specchietto retrovisivo. Sapevo che Rod era in agguato, pronto a intervenire. Aspettava un cenno, un'occasione. E la sorpresa per il russo sarebbe stata totale. Da un curvone lampeggiarono le prime avvisaglie delle mille luci della città. L'aria si faceva torbida, fari ci incrociavano segnalando ritmicamente. A un bivio che immetteva in una deviazione per lavori in corso Petrovic si tirò su di scatto.

– Polizia. Merda. Vai avanti, deciso!

Superammo la pantera appostata tra un casolare e uno spettrale pino dalla chioma cinerina. Petrovic si voltò a guardare. I poliziotti sembravano addormentati, in piedi, i mitra abbandonati lungo le gambe. Sbirciai nello specchietto. La Volvo aveva acceso i fari e rallentava. Rallentai anch'io.

– Cosa fai? Avanti!

La Volvo aveva accostato. Un poliziotto era vicino al posto di guida e controllava i documenti, mitra spianato. Li avevano fermati, maledizione. L'assassino passa e gli sbirri fermano i buoni: siamo in Italia, dopotutto!

Se perdevo Rod era finita. Dovevo prendere tempo e augurarmi che superassero il posto di blocco. Mi guardai disperatamente intorno. La deviazione non asfaltata sulla quale eravamo stati incanalati si avvitava intorno a una specie di collinetta verde, per poi ripiombare sulla strada maestra dopo un'ampia curva. Frenai di colpo. Il russo estrasse d'istinto la pistola.

– Calma. È solo un cane.

Lo specchietto era ancora vuoto. Procedetti adagio sino alla sommità della deviazione. Alla mia destra si apriva un'ampia radura. Fermai sul bordo del prato.

– Cosa c'è ora?

– Devo... insomma...

– Pisciare! – concluse rassegnato. – Ma fa' presto, eh?

Mi allontanai di qualche passo. Sotto di me, i tornanti deserti. Battevo i denti per l'angoscia. Anche il russo scese dalla Honda. Si piazzò a gambe larghe a pochi passi da me e indirizzò un gesto vigoroso contro le luci della città eterna. Il dossier era in macchina, incustodito. Un'idea folle mi balenò nel cervello.

– Non fare cazzate, avvocato, – disse Petrovic, come se mi avesse letto nel cervello. – Ho ordine di non uccidere, ma se sciupo un po' nessuno protesta... E ora, basta perdere tempo! Andiamo a Roma, su.

Si ricompose, soddisfatto. L'aria intorno a noi sapeva di affumicato. Maledizione, Rod, sbrigati. All'improvviso mi prese un'insana, assurda voglia di ridere. Stavo per impazzire o era una conseguenza del whisky che avevo bevuto alla clinica? La risata venne su piano, dapprima controllata, per trasformarsi subito dopo in un cachinno incontenibile che rimbombava isterico nella vallata pullulante di luci.

– Tu pazzo o cosa?

Dopo un primo istante di sorpresa, il russo mi fissava divertito, scuotendo la testa.

– No... voglio dire, Petrovic... Ma che cazzo di nome, Petrovic...

– È nome antico, stronzo! – protestò, risentito.

– Petrovic, io non so un cazzo di questa storia... tutto questo casino per uno che non sa un cazzo di niente!

– Sí, tu pazzo. C'era ufficiale pazzo in Afghanistan... lui faceva missioni, come dite voi... missioni suicide. Rideva sempre. Ma una volta ha detto: «Petko...» questo mio soprannome... «Petko, tu piú pazzo di me».

Rise anche lui. Singulti brevi e acuti. Lo sentivo agitarsi alle mie spalle, poggiato alla Honda. Come se il dossier, la missione e tutto fosse diventato all'improvviso senza importanza...

– Quante belle stelle! Vedi se tiro giú una...

Estrasse la pistola e prese accuratamente la mira. Tirò una, due, tre volte, in rapida successione. Le stelle rimasero al loro posto. Petrovic sembrava deluso. Non poteva ferirle. Si fece di colpo serio. Mise via l'arma e mi afferrò per un braccio.

– Basta, ora. Via!

Mi avviai riluttante. Avevo comunque guadagnato una manciata di minuti. Poi...

Il brontolio esplose inarrestabile, e una sciabolata di luce ci investí. Vidi la Volvo risalire arrancando dal lato interrotto della strada, sobbalzando penosamente sulle gibbosità del terreno. Petrovic strillò qualcosa e puntò la pistola contro i fari. Mi lanciai anch'io a capofitto verso la luce, urlando il nome di Rod. I proiettili sibilarono a pochi respiri dalle mie tempie. Due neri sfrecciarono in volo nella notte.

– A terra! – gridò qualcuno dalla Volvo. L'Honda schizzò via, con il russo al volante. I due neri si rotolarono sull'erba, schivandola per un niente.

– È andato! – disse Michael. Rod mi abbracciò.

– Tutto okay, fratello?

Sulla via del ritorno, mentre Michael scioglieva le briglie all'immortale voce di Nina Simone, schiacciato tra il sedile e il gigantesco Amadou, un ex pugile di Benin City, Rod mi disse che la polizia voleva arrestarli tutti.

– Cazzo, Val. Questo animale di giamaicano non ha la patente...

– Non l'ha mai avuta.

– Lo sapevi?

– Già.

– Be', è incredibile. Eravamo fottuti, amico. Proprio fottuti. È stato allora che mi è venuta l'idea e gli ho detto: chiamate il commissario Del Colle. Lui garantisce per noi. Quelli erano alla fine del turno, magari non vedevano l'ora di tornarsene a casa... insomma, hanno fatto una telefonata e hanno detto che era tutto a posto. Avevi ragione tu: quel poliziotto è uno giusto.

– Sí, ma voi come avete fatto a trovarmi?

– Dal momento in cui hai deciso di aiutarci, – scandí Rod in tono ispirato, – tu non sei mai stato solo. Te l'avevo detto che questa città è come una grande foresta, e il *Sun City* è la sua oasi. Ma nemmeno tu hai fatto caso ai fratelli con gli occhiali scuri che giravano tra i vagoni del treno per Zagarolo... o a quello sdentato che ti ha venduto gli occhiali da sole... o ai ragazzi che pulivano i viali lungo la Nomentana. Grande foresta, tante piste, ma noi sappiamo seguire le tracce della preda... cosí riprenderemo quel russo.

– Credo di sapere dov'è andato.

– E dove?

Quando glielo dissi, Rod fece una brutta smorfia.

– Te la senti lo stesso? – mi chiese, fissandomi negli occhi con l'aria perplessa.

– Ci mancherebbe. Andiamoci subito.

Ma la grande villa era deserta. Nessuna Honda in giro. Nessuna luce accesa. Finestre spente, e solo un messaggio registrato alla segreteria telefonica.

– A quanto pare, ti sei sbagliato, – osservò Rod.

– Non credo.

– Io dico di sí. Comunque, tu ora te ne vai a nanna. Ne riparliamo domani.

I ragazzi mi lasciarono in uno dei ristoranti cinesi di via Cavour. M'era avanzato mezzo toscano sbriciolato, ero sporco, avevo fame e sonno. Ma avevo anche bisogno di riflettere. E lí non avrebbero fatto domande. Potevo pagare, e tanto bastava.

Sedetti a un tavolino tondo con al centro il classico ripiano girevole. Un amico che aveva sposato una ragazza cinese mi aveva spiegato, una volta, che quel rito di passarsi i cibi serviva a scaldare l'atmosfera, a creare comunicazione. Idea nobile ed eccellente, a patto di avere qualcuno con cui scaldarsi.

All'estremità opposta della sala gli ultimi clienti saldavano il conto: un uomo triste e grigio, una moglie gonfia con un bambino petulante in collo, una ragazza in fiore dalla pelle olivastra e dai grossi seni. Lei mi fissava con una strana, invitante intensità. Come se aspirasse, nell'inconsapevole seduzione del giovane corpo fasciato da un sorriso dozzinale, a quella maternità che aveva reso l'altra sbattuta, insoddisfatta. Mi assalí il desiderio struggente di una vita normale. Una casa, dei figli. M'immaginai donatore di seme... Giovanna... se ciò che pensavo era vero... Ma l'immagine si disperse nei ghirigori azzurri del mezzo toscano. La ragazza abbandonò ancheggiando la sala e non si voltò a guardarmi.

28.

Ogni sera, al calar del sole, muto coro di ombre, i neri, gli indiani e i paki si impadronivano dell'Esquilino, e ogni sera la zona si spopolava, perché la vita degli indesiderati stranieri potesse continuare a scorrere nella solitudine di una moltitudine senza respiro. Periodicamente una qualche autorità decretava la «tolleranza zero», e pattuglie di svariate polizie ripulivano il vicino parco del Colle Oppio. Ma durava poco. Loro si spostavano da un'altra parte. Poi tornavano. La gente li detestava. Le ragazze correvano a rifugiarsi sotto le pensiline dei bus, quasi rassicurate dalla presenza dei trans che mercanteggiavano con insospettabili padri di famiglia il sesso elettrico e proibito del lato oscuro della strada.

Cosí va la vita. Chiunque abbia qualcosa da difendere vive nel costante terrore che l'Uomo Nero gliela porti via. Certe volte mi domandavo se tutto il mio feeling con «loro» non fosse dipeso dal fatto che non avevo niente da perdere, niente da difendere. Pensai a Giovanna. Ecco. Quando m'ero illuso di avere lei... qualcosa da perdere, qualcosa da difendere... avevo istintivamente diffidato di Rod. Cosí va la vita. Dobbiamo cercare un'accettabile convivenza con la carogna razzista che alberga dentro ciascuno di noi.

Sullo sfondo della notte afosa echeggiavano le note del *Carnevale di Venezia* che un'improvvisata orchestrina zingara diffondeva da un palchetto abusivo sulla piazza dell'Esedra. Per raggiungere il dormitorio dell'Opera profughi di don Franco attraversai l'atrio della stazione Termini. Rod aveva deciso che non era il caso di ritornare al complesso Prattico. Troppo rischioso. Come noi cercavamo Petrovic, cosí Petrovic poteva cercare noi. E c'era un posto sicuro, sicurissimo: un posto dove a nessuno sarebbe venuto in mente di cercare l'avvocato Valentino Bruio.

L'orario di chiusura era imminente. I radi viaggiatori in attesa dell'ultimo treno della notte bivaccavano stancamente intorno al megaschermo dal quale il lettore dell'ultimo Tg diffondeva le verità di Stato. Voce rassicurante, doppiopetto impeccabile, sorriso da venditore di automobili: il prototipo dell'Italian Style.

«Il presidente della Repubblica non ha presenziato alla festa celebrativa del centocinquantesimo anniversario della fondazione Accademia dei Virtuosi...»

– Me cojoni! – disse una voce. – Chissà come ce so' rimasti male!

Qualcuno applaudí, altri risero. Sullo schermo sfilavano ora scene di guerriglia urbana.

«Nòvere. Un paese in rivolta. Blocchi stradali e violenti tafferugli dopo l'annuncio dell'arrivo di un campo di nomadi korakané. Il malessere del piccolo centro esplode con una clamorosa protesta la cui eco si spinge sino a palazzo Marino. Il comitato di agitazione, che ha ricevuto la solidarietà spontanea di centinaia di cittadini da altre regioni d'Italia, chiede piú acqua, piú luce e niente zingari».

I promotori della sommossa, intervistati da una giornalista dal piglio nazionalistico, premesso di non essere affatto razzisti, spiegarono di non volere «quella gente». Non a casa loro. Tutto il mondo è paese.

– Hanno ragione! – gridò una voce, dietro di me. – Ci hanno rotto li cojoni!

– Ce l'hanno rotti proprio!

Mi allontanai dribblando due poliziotti assonnati che non sapevano se parteggiare apertamente o disperdere l'adunata che si stava formando intorno al Tg. All'ingresso del dormitorio furono parchi di domande e di zuppa. Degnarono di un'occhiata distratta il tesserino che apparteneva al cittadino algerino Rashid Kamel. Al *Sun City* si usava quando qualcuno aveva bisogno di sparire per un po' di tempo. Mi assegnarono una branda sfondata, un sacco a pelo e un lenzuolo insospettabilmente decente. Entrai vacillando nel camerone dai muri screpolati. Potevano essercene duecento, sui due ordini di lunghe file di brande a castello. Nell'aria aleggiava un incredibile tanfo di muffa e di orina.

Raggiunsi il mio posto fendendo una selva di occhiate ora distratte ora incuriosite. Potevo forse passare per un mediorientale agli occhi dei fraticelli e dei bravi volontari, ma là in mezzo si vedeva lontano un miglio che ero un abusivo. L'avvocato Bruio: reietto dalla sua gente e anche dai barbari. Non male, dopo la giornatina che avevo appena trascorso. Purché non mi prendessero per una spia... M'infilai a testa bassa nell'umido sacco a pelo e sprofondai in un incubo dominato dagli occhi di Giovanna, ora freddi e distanti, ora affettuosi, sinceri. Di tanto in tanto compariva il vecchio Noè: si toglieva la maschera da gentiluomo e sotto appariva il grifo di un mostruoso animale da bestiario medioevale. Mi destai di soprassalto, agitato da una robusta scossa.

– È questo, – disse una voce impastata. C'erano cinque o sei neri chini su di me. Mi fissavano interdetti, puntandomi negli occhi una minacciosa torcia elettrica.

– Chi manda? – chiese uno.

– Spia?

– Polizia?

– Mi manda Rodney... Rodney Winston, – balbettai.

Un altro mise mano a un corto coltello dalla lama seghettata. Ripetei piú volte il nome di Rod. I neri confabularono per un po' in un dialetto sconosciuto. Infine, quello con il coltello mi tese la mano.

– Scusa, avvocato. Ora tutto chiaro. Qui sei tra amici.

E quella non era la vita. Quello era il *Sun City*.

29.

In una stradina laterale a pochi metri dal cancello degli Alga-Croce, Rod se ne stava appoggiato all'Honda, l'aria indolente, l'eterno spinello tra le labbra e un giornale aperto che ondeggiava alla tiepida brezza del primo mattino.

– Avevi ragione, – disse, quando mi vide arrivare. – Il russo ha passato la notte con una... ragazza, diciamo, poi è venuto qui un'oretta fa.

– Lei c'è?

– Lei chi?

– Dài, Rod, Giovanna...

– La donna e il bambino sono arrivati dieci minuti dopo il russo. Insieme ai due servitori. Ultimo è arrivato il vecchio. Il russo è andato via poco prima del tuo arrivo. Gli ho mandato dietro Michael... ma dimmi un po': come facevi a sapere che ci saremmo ritrovati qui?

– Lasciamo perdere. Devo entrare, adesso.

Ciò che pensavo era che Giovanna fosse una specie di prigioniera. Un ostaggio da consegnare a Poggi. Il mio compito era liberarla. Prima, però, avrei dovuto mettere le mani su quel dossier. Perché lí dentro c'era la verità. Era passata meno di mezz'ora da quando Gebre, un eritreo fortunosamente scampato a una dozzina di condanne a morte, mi aveva trascinato fuori dal dormitorio con la notizia del ritrovamento di Petrovic. Alla villa. Dunque, ci avevo visto giusto. Dal portatile avevo chiamato Del Colle. La batteria mi aveva piantato a metà messaggio. Avevo riprovato da una cabina pubblica, ma non l'avevo piú trovato. Avevo dovuto urlare il mio nome a un ottuso centralinista, e non avevo la sicurezza che l'avesse annotato.

– Devo entrare, Rod...

– Non è semplice, Val.

– Facciamo cosí: tu distrai i servitori e io provo a entrare in qualche modo.

Rod schiacciò lo spinello e si grattò sulla fronte. Mi acquattai dove potevo vedere non visto. Lui si avviò al cancello con passo baldanzoso. Un alto, muscoloso nero in giacca Madras e cravattino. Sembrava danzare sulle punte dei piedi. Suonò due volte. Apparvero i cerimoniosi indiani. Rod disse qualcosa. I due sorrisero, scuotendo la testa. Rod s'infervorò. Gli indiani sembravano ascoltarlo con grande attenzione. Finalmente, il cancello prese a ruotare su se stesso con un rassicurante ronzio. Rod mi fece un cenno. Il cancello era aperto. Entrò. Prese sottobraccio gli indiani e con grande naturalezza ottenne che voltassero le spalle al cancello.

Era la mia grande occasione. Mi lanciai. Riuscii a varcare il cancello prima che cominciasse la manovra di chiusura. Una provvidenziale siepe mi protesse dagli ultimi sguardi degli indiani, che continuavano a chiacchierare con Rod. Attesi che tornassero a volgermi le spalle e mi lanciai verso la scaletta dalla quale mi ero calato la sera della festa. Il sole cominciava a picchiare, il ferro era arroventato, ma superai l'ostacolo in un baleno. Feci a ritroso il percorso di fuga che Nicky mi aveva indicato e mi ritrovai nel silenzio di Villa Alga-Croce. Tutto sembrava deserto. Mi affacciai sul corridoio centrale. Nessuno. Neanche l'eco lontana di voci...

– Presto!

Era Nicky. Pallido, trafelato, ma felice. L'abbracciai d'istinto.

– Ho visto tutto! Il tuo amico e gli indiani... spero che li rapisca e se li porti in Africa. Io non li reggo, quei due. Sembrano usciti da un brutto film.

– Dov'è mamma, Nicky?

– Boh, e chi lo sa? Forse è ripartita... non c'è mai nessuno, qua.

– Ieri... prima, insomma, dov'eravate?

– Nell'altra casa del nonno... ma anche là, una noia.

– Nicky, dov'è mamma?

– Ma te l'ho detto che non lo so! Il nonno è nello studio che fa colazione, e io mi rompo. Non si può uscire. La mamma va e viene. Sono tutti impazziti. Il nonno è molto arrabbiato con quel medico. Meno male. Cosí almeno lui non devo vederlo...

Mi chinai ad accarezzarlo.

– Senti, Nicky, noi siamo amici, vero?

– Certo! E se mi fai uscire da questo cimitero saremo ancora piú amici!

– Senti un po', tu l'hai visto il russo?

– Chi? Ah, quello che sembra Lex Luthor...

– Sí, proprio lui... Lui e il nonno si sono parlati, no?

– Certo.

– E dove?

Mi condusse in uno studio che non avevo mai visto. Piú piccolo di quello dove il vecchio mi aveva ricevuto. Il maledetto dossier era negligentemente gettato su un divano bianco.

– Nicky, – rantolai, dominando l'emozione. – Ora tu andrai nel corridoio e resterai di guardia finché io non ti dirò di tornare. E se vedi qualcuno...

– Mi metto a cantare.

– Bravo. Arruolato. E adesso sparisci.

– Agli ordini, capitan Harlock!

Dunque, il dossier era nelle mie mani. Ma ora che avevo il potere assoluto, esitai davanti alla porta proibita. Qualunque cosa ci fosse da sapere, era là dentro. La verità era alla mia portata. E se invece avessi deciso di non sapere... era come se oscuramente intuissi che dentro quelle pagine si nascondeva un dolore che avrebbe potuto schiantarmi.

Mi frugai nelle tasche. Ero senza sigari. Non avevo pensato a procurarmene. Ma c'era sempre l'accendino. Una fiammella. Un bel rogo. E non avrei mai saputo ciò che temevo di sapere...

Voltai la copertina con un gesto rabbioso e lessi.

30.

Gli atti erano stati scrupolosamente disposti in ordine cronologico. Precisione svizzera, mi venne da pensare, considerando l'asettica precisione dell'insieme. Il professor Poggi avrebbe potuto conservare il tutto su un floppy disc. Ma evidentemente il documento cartaceo era considerato piú chic.

> 13 marzo.
>
> Ingresso nella clinica Villa della Salute. Nome del paziente: Alga-Croce Nicolò. Età: sette. Normocostituito. Esantemi regolari. Accompagnatore: Alga-Croce Giovanna. Riferisce: perdita di peso, astenia, affaticamento innaturale, stipsi. Da accertamenti preliminari si esclude origine allergica.

Seguiva un diario clinico. In tre giorni il bambino era stato sottoposto a un mare di analisi. Il 16 marzo affiorava una prima, cauta diagnosi: miocardiopatia n.d.d. Il 20 marzo si precisava: miocardiopatia congenita. Nessuna indicazione terapeutica. Unica soluzione ipotizzabile: intervento chirurgico. In caso contrario, la prognosi *quoad vitam* era infausta. Nicky era condannato a morte. Quello stesso giorno prendeva l'avvio lo scambio di note con la Swiss Bank for Life.

> <<DA VILLA SALUTE VILLA.DIRECT@HUSSPLUSS.COM A SBL.4289@HUSSPLUS.COM
>
> RE: HUM HEART REQUEST
>
> HUMAN HEART NEEDED WITH ABSOLUTE NECESSITY. AGE FROM 6 TO 8. NEEDES PERFECT INTEGRITY. IN ANSWER REFER TO RE. RIP OFF. THE DIRECTOR>>

<<FROM SBL.4289@HUSSPLUSS.COM TO VILLA.
DIRECT@HUSSPLUSS.COM
RE TO RE: HUM HEART REQUEST
NO AVAILABLE OBJECT. SORRY. RETRY. RIP OFF DONE>>

Eccola, la storia. Villa della Salute segnalava l'urgenza di reperire un cuore appartenente a un umano di età compresa tra i sei e gli otto anni. Perfettamente integro. La banca rispondeva: mi dispiace, al momento non ne abbiamo. Riprova piú tardi. Ora mi era chiaro perché Poggi e gli svizzeri usavano per comunicare il sito criptato che solo la diabolica abilità di Zaphod era stata in grado di smascherare. Ora mi era chiaro dov'ero finito: in una storia di trafficanti d'organi.

La richiesta veniva rinnovata per tre giorni di seguito. Sempre con esito negativo. Il 25 marzo Poggi, firmando questa volta con il suo nome, comunicava che al piccolo Nicky non restavano piú di cinque-sei giorni di vita. Ma la banca confermava la negativa.

Lo stesso giorno veniva redatta una dichiarazione. Il signor Anawaspoto Ray acconsentiva a che, in caso di morte per causa accidentale o per qualsivoglia altro motivo, gli organi vitali del proprio figlio Barney fossero rimessi alla SLB, per essere utilizzati «a fini di ricerca scientifica, ivi compreso il trapianto su altri esseri umani». L'unico limite alla disposizione era costituito dal raggiungimento della maggiore età.

Sempre il 25 marzo, in un'altra dichiarazione allegata, il cittadino sudafricano Anawaspoto Ray acconsentiva al perfezionamento dell'iscrizione del figlio Barney presso il collegio Zollinger di Zurigo. Decorrenza: il 26 marzo successivo. Anche dal documento scannerizzato si capiva a prima vista che la firma incerta e tremolante era la stessa di quella in calce alla cessione degli organi.

Da quel momento la vista mi si oscurò. La verità. La verità era peggiore dell'incubo piú terribile. Come aveva detto Del Colle? *La capanna dello zio Tom*? Di che cos'erano stati capaci? Andai avanti, serrando i denti.

27 marzo.

Centro rianimazione Istituto sperimentale di ricerca biotecnologica Von Kraft-Ebbing, Zurigo. Ingresso paziente Anawaspoto Barney. Accompagnatore: Mr Sidi al-Bureh Latif. Provenienza: estero. Età: sette. Normocostituito. Razza negroide. Subentrato coma insulinico n.d.d. Terapia intensiva.

28 marzo.

Ore 19 commissione medica cantonale convocata presso Istituto sperimentale Von Kraft-Ebbing comunica constatazione avvenuto decesso per coma cerebrale irreversibile paziente Anawaspoto Barney. Verificata regolarità atto disposizione organi in caso di *obitus*. Organi espiantati e trasmessi SBL.

<<DA VILLA SALUTE VILLA.DIRECT@HUSSPLUSS.COM
A SBL.4289@HUSSPLUSS.COM
RÈ: HUM. ORG.

Confermo disponibilità ricezione organi presso sala operatoria autorizzata, Roma, équipe professor Poggi M. Mezzo trasmissione organi donatore: aereo personale dr Noè Alga-Croce congiunto ricevente.>>

29 marzo.

Ore 08.45. Intervento effettuato. Cuore donatore Anawaspoto Barney trapiantato in Alga-Croce Nicolò. Intervento perfettamente riuscito. Prevedibilità crisi di rigetto: inferiore 3 per cento prime 48 ore. Successivamente: nessuna possibilità crisi.

<<DA VILLA SALUTE VILLA.DIRECT@HUSSPLUSS.COM
A SBL.4289@HUSSPLUSS.COM
RE: HUM. ORG.
CODE 44.>>
<<FROM SBL.4289@HUSSPLUSS.COM
TO VILLA.DIRECT@HUSSPLUSS.COM

RE: CODE 44
CODE CONFIRMED.>>

Gli ultimi due messaggi erano l'ordine di distruzione dell'incartamento partito da Poggi e la conferma dell'esecuzione da parte degli svizzeri. Ma Poggi aveva giocato sporco, conservando le prove del crimine. Latif era venuto a saperlo. Era morto per questo. Ma in qualche modo aveva permesso a me di sapere. Bene, ora sapevo. Tutte le illusioni che avevo continuato a coltivare sul conto dei miei simili erano miseramente, definitivamente naufragate. Eccola, la storia. Eccolo il debito di riconoscenza degli Alga-Croce verso il professor Poggi. La vita di Barney per quella di Nicky. Bambino vivo bambino morto. Un innocente di meno: chi se ne sarebbe accorto mai? Un bambino scomparso nel nulla. Un bambino nero scomparso nel nulla. Dichiarazioni, allegati, espianti, trapianti. La vita degli eletti e quella dei negletti. Nicky era condannato a morte.

Ora capivo le parole di nonno Noè sull'ingiustizia divina. Barney, rubato al padre con il suo consenso per essere «educato» in un collegio svizzero. Ucciso con un trucco vecchio quanto il mondo: il coma insulinico. E il suo cuore nero viene trapiantato sul cucciolo bianco. Perfettamente legale. Il padre aveva autorizzato l'espianto. Una disgrazia la sua morte tempestiva, una disgrazia, che ci volete fare? Ma che cosa credevano? Che Al fosse una bestia? Che una volta allontanato il figlio si sarebbe dimenticato per sempre di lui? Com'erano riusciti a tenerlo buono per cosí tanti mesi? C'erano state promesse? O minacce?

Poi quel nero che si stava lasciando andare aveva fatto troppe domande. Aveva intuito qualcosa? Il volto del bianco era tornato a risplendere, armato di torcia e di fucile, come nelle notti di caccia nel suburbio di Johannesburg? Al non dimentica, quindi Al è un pericolo. Al viene ucciso. Ma c'è ancora Latif. Un altro nero. Molto diverso da quel padre disperato. È un avido, Latif. Chiede troppo. Ci si potrebbe ancora accordare, si sta forse trattando quando sulla scena compare un avvocato impiccione. E questo, adesso? Che ne facciamo di questo? Non vorremmo che mettesse strane idee in testa a Latif... E Latif viene ucciso. Ma con l'avvocato non si possono usare i sistemi spicci: roba da negri, quella. L'avvocato merita un trattamento speciale. E quale? Forse un'avventura con la donna piú bella del mondo?

Ero in preda a un gelido furore. Spalancai la porta. Nicky era ancora in corridoio, impalato nel suo ruolo di fedele sentinella.

– Tutto tranquillo, capitano.

Ma chi era quel bambino? Nicky? Barney? Era per questo meno innocente? Chiunque fosse... qualunque cosa fosse... i suoi occhi brillavano. Vivi.

– Vieni con me! – urlai, strattonandolo per un braccio. I suoi occhi si riempirono di lacrime.

Ma non fui io a irrompere nello studio del vecchio Noè. Non io a scagliare contro la parete il vassoio con il bacon&eggs e la famigerata bottiglia di Angus McGregor con dentro del volgare blended. Non ero io perché al mio posto agiva una bestia immonda che troppo a lungo se ne era restata confinata negli abissi delle viscere. Una bestia che aveva guardato in faccia l'orrore e voleva ripagare il mondo dell'unica moneta che vi aveva corso legale: il male contro il male, la morte per la morte. Volevo affondare le mie mani in quel collo vizzo. Strappargli le vene. I nervi. Torturare. Uccidere lentamente. Dissolvere quell'occidentale blasé che considerava con un'alzata di ciglia lo scempio della sua raffinata colazione, ripulendosi con immenso stile d'una macchiolina di burro la giacca viola da camera sulla quale campeggiava quell'odioso motto. *Nulla majestas sine turpitudine*. E allo stesso tempo provavo un'irrefrenabile voglia di piangere. Abbracciare quel che restava dell'umanità in un rovente oceano di pianto e poi scomparire, per sempre...

Mi accasciai su una sedia. Nicky consolava il nonno, scoccandomi occhiate piene di risentimento e di delusione.

– Mi pare di capire dal contesto, – disse piano il vecchio, guardandosi intorno, – che ora il quadro della situazione le è finalmente chiaro.

Non c'era bisogno di rispondere. Il vecchio sfuggiva il mio sguardo.

– Nicky, lasciaci soli. E ricorda quel favore che ti ho chiesto di farmi...

– Sí, nonno.

Il piccolo si sottrasse alla carezza del vecchio e mi si piantò davanti.

– Tu non sei un amico! Tu sei una brutta spia!

– Ti prego, Nicky. L'avvocato e io dobbiamo parlare di cose da grandi...

Nicky fuggí via, carico di rancore. Se solo avesse immaginato...

– Petrovic, a suo modo, è un uomo d'onore, – disse il vecchio con voce calma. – Quando è venuto a riferirmi che vi eravate... persi di vista, faticava a sostenere il mio sguardo. Ma comunque le cose si sono rimesse a posto. Volevo il dossier e volevo che lei lo leggesse. Ancora una volta ho raggiunto l'obbiettivo che mi ero prefissato.

– Lei è un mostro.

Per un istante Alga-Croce sembrò perdere il controllo. Strinse i pugni, e i suoi occhi si ridussero a due sottili, inquietanti fessure. Ma rapidamente tornarono il sorriso e il tono affabile.

– Intelligente, fedele, impulsivo avvocato Bruio... Lei ha le doti giuste per questo mondo che perderà presto la sua brama di smancerie e ritroverà il gusto della lotta. Ha scoperto tutto con il mio aiuto, si capisce, ma anche grazie alla sua astuzia e alla sua tenacia. Lei è un entusiasta, ma, come ho già avuto modo di dirle, il materiale è ancora grezzo. C'è da lavorarci sopra...

Mi alzai di scatto, raccattai la bottiglia di whisky e ne bevvi un lungo sorso alla canna. Accettai persino il Montecristo che quell'assassino di bambini mi stava porgendo.

– L'avete ucciso per rubargli il cuore! – sibilai. – Non era che un bambino! Avete fatto credere al padre che lo avreste istruito, educato e quando ha chiesto di rivederlo, vi siete sbarazzati di lui!

– Ma non voleva farsene una ragione, – si giustificò il vecchio. – Abbiamo cercato in mille modi di spiegargli che era meglio per tutti dimenticare... questione di leggi, regolamenti, diritto internazionale. Ma lui niente. Ha cominciato a subodorare qualcosa. Questi sono sempre all'erta. Sembrano cani da tartufo. A quel punto abbiamo ripiegato sulla tesi della disgrazia. Un incidente può capitare. Ma lui niente. Non ci credeva. Non credeva a niente di quello che gli dicevamo, poi abbiamo offerto dell'altro denaro... dico altro perché lei non pensi che la transazione, diciamo cosí, iniziale, fosse stata a titolo gratuito. Quanto non avrebbe potuto guadagnarne nemmeno in dieci vite. Inutile. Tutto era inutile con quel negro cocciuto. Devo onestamente ammettere che Petrovic è stato alquanto rozzo con lui, ma quell'idea di rivolgersi a un avvocato...

– Ma se non mi aveva detto niente!

– Questo non potevamo saperlo, s'intende. E comunque, Petrovic è stato rozzo anche con Latif. Quel negro era stato abile a rintracciare il dossier, e solo per una disgraziata coincidenza non siamo riusciti a venirne in possesso allora. Sfortunatamente per lui, Latif si è fatto prendere da qualche scrupolo di troppo...

– Dev'essere una caratteristica dei negri, a quanto pare! – ringhiai.

Volevo ferirlo. A tutti i costi. In tutti i modi. Il vecchio increspò appena un sopracciglio. E riprese come se non ci fosse mai stata nessuna interruzione.

– D'altronde, lei comprenderà... la possibilità di un ricatto, in questo momento, con Nicky ancora in convalescenza...

– Ma io so tutto, adesso!

– Certo, certo. Mi sembrava giusto metterla al corrente del quadro generale. Vedrà che, in fondo, il fatto di sapere non le permetterà di nuocere. E non le accadrà nulla di spiacevole: ha la mia parola d'onore.

– Ah, sí? E perché mai? Perché sono bianco e ho studiato? Perché appartengo al genere umano?

Desideravo uscire da quell'ambiente. Respirare aria pulita. Ma rimasi incollato alla sedia. Nonostante tutto, il vecchio esercitava su di me un potere ipnotico.

– Mi creda, non ho di questi scrupoli – puntualizzò, gelido. – L'assassinio in sé mi lascia del tutto indifferente sotto il profilo etico. Re, papi, imperatori ed eroi vi hanno sempre fatto ricorso, nell'arco dei secoli, allo scopo di rimuovere coloro che ostacolavano i loro progetti. Personalmente, ne faccio una questione di obbiettivi. Vede, avvocato, io la stavo osservando, studiando...

– Ma davvero? Che onore!

– Prima ancora che lei mettesse piede in casa mia, io già sapevo che uomo era lei. Mi è stata di grande aiuto una mia cara amica...

– Il puttanone nigeriano, suppongo.

– Non scada di tono, la prego. Cheryl è una persona squisita, oltre che un'amante formidabile. Anche se lei non l'ha degnata della minima attenzione... ma d'altronde, l'operazione meritava uno studio attento. Non potevo certo permettere che tutto andasse in rovina per colpa di uno sconosciuto. Rifiutare Cheryl è stata una mossa istintiva e assolutamente geniale. Ho deciso che il gioco poteva farsi appassionante. Ho deciso di darle una chance.

– Una che?

– Una chance. Volevo sondare i suoi limiti. Conoscerla di persona, intanto. Lei si è cacciato nella tana del lupo. Bene. È nato un sentimento che l'ha catturato e quasi vinto. Bene. Lei è stato in procinto di ritirarsi dalla partita. Bene. L'intervento di Poggi, dal punto di vista dell'edificio strategico che stavo pazientemente costruendo, è stato catastrofico. Lei si è irrigidito. E tuttavia le è stata data ancora piú d'una possibilità di tirarsi indietro. Le sarebbe stata risparmiata la... spiacevole verità. Ma lei è andato avanti. Sino in fondo. Cosí ha confermato la mia intuizione.

– Ma di che sta parlando, in nome di Dio?

– Le sto dicendo che una vecchia razza stanca ha bisogno di un'iniezione di sangue fresco. Le sto dicendo che lei sposerà Giovanna.

Era dunque questo che il raffinato Occidente teneva in serbo per me. Sospirai, poi la famosa risata-che-tutti-vi-seppellirà eruppe dal fondo del mio cuore. Voleva comperarmi. Credeva di riuscirci... E una parte di me era prontissima ad accettare! Il mondo apparteneva ai mediocri perché i giusti glielo consegnavano giorno dopo giorno. Lo scandalo sarebbe stato soffocato. Le prove occultate. Tutto sarebbe stato ricondotto a una faida tra negri. Barney era rimasto vittima di una fatalità. Giovanna mi amava sinceramente. Potevo issarmi saldo al timone delle fortune Alga-Croce. Dovevo solo, per una volta, una sola, piccola volta, chiudere gli occhi e voltare la testa dall'altra parte. Una sola volta. Una. Per amore della donna bianca. Per un bambino che aveva davanti a sé una meravigliosa vita innocente. Per un vecchio cosí affabile, seducente, umano...

– Non tutti sono in grado di comprendere certe decisioni, – riprese Noè, una nota calda, paterna nella sua voce. – Mia figlia è all'oscuro di certi... dettagli. Lei non sa... lei non dovrà mai sapere grazie a quale dolorosa decisione Nicky è salvo. Si tratta di segreti pesanti come macigni, avvocato. Vanno divisi solo tra uomini. Uomini come noi.

– Ma che dice! – urlai, scuotendomi dall'incanto con uno sbuffo rabbioso del sigaro. – Uomini come noi... Lei è pazzo!

– Io ho il dovere di assicurare che la stirpe degli Alga-Croce si perpetui e prosperi.

– Con Poggi?

– Con lei! Poggi nemmeno immagina che cosa sia la classe vera. Detesta l'odore del fumo, tanto per dirne una. Poi, quel suo tentativo di giocare ai poteri occulti... voleva ricattarmi con quel suo ridicolo dossier... come se io potessi temere qualcosa da lui. No, non posso perdere contro uno come Poggi, Valentino... posso chiamarla Valentino, vero? Non posso perdere. Io sono il prodotto finale di una spietata selezione naturale. Poggi sarà anche nato, io sono diventato. So cosa significa giocare duro. Poggi! Un meschinello, convinto che il mondo finirà alla deriva per un trapianto d'organi. Ma andiamo! La Swiss Bank serve centinaia di Paesi, e di tecnici come Poggi ne conosco almeno una dozzina. Le concedo una certa perplessità, avvocato, ma mi creda: questo non è di sicuro il primo caso di organi che spuntano all'improvviso quando il ricevente sta per morire. Non crederà davvero che dietro ogni brillante progresso della scienza ci siano solo sudore, fatica intellettuale e miracoli. Non sono stato il primo a imbarcare su un aereo un negretto morto. Non sono stato il primo e non sarò certo l'ultimo. Posso citarle almeno dieci casi... Vediamo... c'è quello che ha comperato i testicoli per garantire l'erede a una certa dinastia, e quello che ha preso la cornea per vedersi meglio in Tv, e quello che ha cercato e ottenuto la lingua per recitare Shakespeare o i reni per fare una pipí piú limpida. C'è una quantità incredibile di organi in circolazione. Il povero Barney è stato solo sfortunato: se ci fossimo accorti della malformazione di Nicky un paio d'anni prima, il cuore l'avremmo facilmente trovato in Kosovo o da qualche altra parte dove si scannano per questioni di fede, o di mafia o di chissà cosa. Invece l'avevamo dentro casa, comodo comodo, e allora... In ogni caso, gli organi dei negri sono i piú richiesti: se sopravvivono alla prima infanzia sono robustissimi, pressoché indistruttibili.

Potevo forse far tacere per sempre quella voce odiosa. Ma sarei riuscito a fare altrettanto con i fantasmi che mi aveva seminato dentro? Il Montecristo s'era spento. Pendevo dalle sue labbra.

– Rifletta, avvocato, – continuò. – Che misero destino si preparava per quel negretto vagabondo in una grande città concepita per gente cosí diversa da lui? Lontano dalla sua foresta, con un padre che sarebbe finito alcolizzato o rapinatore, o peggio in un rigagnolo in un viale dietro la stazione con la gola tagliata da un altro negro disperato... Lei sa di cosa parlo, vero? Li conosce bene, ha passato un mucchio di tempo in mezzo a loro. Ma rifletta, su. Un po' di buon senso! Nicky e quel bambino sono amici per la pelle, oggi. Cresceranno insieme, ma a un certo punto le differenze cominceranno a pesare. Il sangue, la ragione, la classe:

tutto ciò esigerà i propri diritti. Diritti molto piú urgenti della fittizia eguaglianza che quelli come lei predicano. Nicky un giorno sarà chiamato a gravi responsabilità. Centinaia di famiglie dovranno alle sue scelte professionali la fortuna o la rovina. Non ci sarà piú posto nella sua vita per l'antico compagno di giochi. Barney è abbandonato. E l'invidia, il risentimento, l'amarezza prendono ad agitarsi nel suo animo di negro... «Eravamo amici, Nicky...» – declamò teatralmente il vecchio, e nella sua smorfia c'era un che di femmineo e di beffardo. – «E adesso non hai piú neanche un minutino per il tuo vecchio Barney? Non si va piú a donne insieme? Dicevi che ti piacevano tanto le nere... Non voglio fare l'impiegato in questa sperduta filiale in Tunisia, sembra il deserto. Mio Dio, come hai potuto sbattermi qui dopo tutto quello che c'è stato tra noi?» E Nicky se ne fregherà, avvocato. Se ne fregherà, perché Barney resterà ciò che è sempre stato: un negro in un mondo di bianchi, un povero in un mondo di ricchi, un perdente in un mondo riservato ai vincenti.

Noè si adagiò mollemente, poggiò il sigaro su una ceneriera d'avorio, portò alle labbra un panino con i semi di sesamo e assaporò un piccolo morso.

– Vede, – proseguí. – Da un certo punto di vista possiamo dire che l'esistenza modesta di Barney è stata piú utilmente coronata dal trapianto che non da uno stanco trascinarsi tra le rovine di quella parvenza di Occidente che gli abbiamo appena lasciato annusare... perché ora, in un certo qual senso, lui vive in mio nipote. Mi creda: quel piccolo negro non avrebbe mai avuta un'altra occasione di rendersi tanto utile.

– E lei ha ancora il coraggio di dirsi uomo!

Scosse la testa. Poi, con mano tremante, come un qualunque innocuo vecchietto curvo sotto il peso degli anni, mi porse un tetrapak di succhi tropicali.

– L'amarezza fa presto a sfumare. Su, beva. Sono ottimi col whisky. Beva e pensiamo al futuro.

A quel punto riuscii finalmente a scuotermi.

– Credo proprio che non ci sia altro da dire, – dissi, alzandomi di scatto. – Adesso uscirò da questa stanza e andrò a telefonare alla polizia. Racconterò tutto. Dalla prima all'ultima parola. Poi tornerò qui dentro e siederò su questa stessa sedia. E attenderò insieme a lei l'arrivo di quelli che l'arresteranno. E lei non mi fermerà.

Il vecchio sorrise, come fosse divertito dalla mia veemenza.

– Fermarla io? Ma se l'ho difesa sin dal primo momento! Altri proponevano soluzioni decisamente piú radicali. Quindi, se vuol saperlo, tra le altre cose lei mi deve la vita. Io fermarla? Vada dove crede. Mi sta deludendo. È davvero cosí certo che le daranno ascolto?

Vacillai. La mia sicurezza vacillò. I principî fondamentali del mio codice morale vacillarono.

– Darò loro il dossier! – urlai. Il vecchio si strinse nelle spalle e buttò giú un sorso dei suoi succhi tropicali.

Poi qualcuno spalancò la porta.

31.

Dovevano essere appena arrivati. Ansanti, perplessi, quasi timorosi. Tutti e due in maniche di camicia. Tutti e due armati delle Beretta d'ordinanza.

– Venite, venite pure, – li esortò il vecchio Alga-Croce.

Mi scansai per far posto a Castello, come sempre agitatissimo. Il commissario Del Colle richiuse con delicatezza la porta alle sue spalle.

Castello si guardò intorno, annuí rapido, sospirò e infine mi puntò la pistola alla tempia, obbligandomi a sedere.

– Castello! – lo riprese Del Colle.

– Cazzo, capo. È chiaro. Il bastardo ha qualcosa in mente!

– La prego di moderarsi, – s'intromise Alga-Croce. – E metta via quella pistola. Alla mia età, lei capisce, la vista delle armi...

Castello arretrò, interdetto. Forse aveva colto anche lui la sfumatura di sarcasmo.

– L'avvocato è un amico di famiglia con il quale stavamo definendo i dettagli di un affare della massima importanza. Non riesco a comprendere la ragione della vostra presenza.

– Be', se lo dice lei... – borbottò Castello, intascando meccanicamente l'arma.

Del Colle mi fissava con l'aria interrogativa.

– In ogni caso, – riprese, sicuro e gentile come sempre, il vecchio, – se potessi sapere in che cosa rendermi utile...

Castello non sapeva dove ficcare le mani. Del Colle continuava a chiedere lumi lanciandomi muti sguardi perplessi.

– Forse è il caso che andiamo, – mormorò Castello.

Allora saltai su e mi misi a urlare come un pazzo. Gliela gridai in faccia, la verità. I morti. I piccoli e i grandi morti. I tradimenti. Gli inganni. Il mostro nascosto dietro la maschera del vecchio signore.

– Avvocato, – sospirò Noè, inserendosi in una pausa della mia foga. – Avvocato, lei rende tutto molto, molto difficile.

– Ha le prove di quello che dice? Sono affermazioni gravissime!

Negli occhi di Del Colle brillava una luce amara. Mi credeva. Ne ero certo. Ma sapeva anche come vanno le cose a questo mondo.

Li trascinai nella stanza dove avevo letto il dossier. Il piccolo Nicky giocava con un mucchietto di cenere. I resti delle mie prove. Urlai. Stava diventando un vizio. Presi a calci i mobili. Castello mi assestò due schiaffoni terapeutici, sibilando un'oscura bestemmia. Il vecchio Noè intercesse per me con espressioni che grondavano rammarico.

– Dovete comprendere... l'avvocato ha qualche motivo per essere sconvolto. Gli ho appena comunicato che mia figlia Giovanna sposerà un altro uomo. Credo che ne fosse innamorato.

Intanto Nicky s'era alzato e m'era venuto vicino.

– Facciamo la pace, vuoi? – offrí, afferrandomi una mano. – Io non sono piú arrabbiato con te.

Mi chinai verso di lui.

– Nicky... c'è una cosa che devo dirti. Ti ricordi di Barney, il tuo amichetto nero? Te lo ricordi?

– Avvocato Bruio! – gridò il vecchio Noè. Negli occhi di Nicky s'era accesa una luce di speranza. Il vecchio aveva improvvisamente perso tutta la sua sicurezza. C'era una cosa che poteva ferirlo. Una cosa che aveva il potere di spezzargli il cuore. L'unica cosa che temeva al mondo: che qualcuno facesse del male a Nicky. Fissai il bambino. I suoi occhi luminosi, innocenti...

– Avvocato! Valentino... la scongiuro...

Quanto dolore c'era in quell'invocazione! Tutto il dolore di cui non l'avrei mai creduto capace.

– Nicky, – balbettai. – Nicky... ti voglio bene, Nicky...

Il commissario mi posò una mano sulla spalla.

– Venga via. È tutto inutile.

Piú tardi Del Colle mi assicurò che sarebbero state fatte verifiche. In ogni caso, la denuncia c'era e quindi la macchina andava comunque avviata.

– Sarà assolto, – mormorai cupo.

– Non sarà nemmeno processato, – tagliò corto il poliziotto.

Giustizia. Il governo sudafricano, non potendo far fronte al costo dei farmaci per la cura dell'Aids, li aveva donati acquistando sottobanco le formule dai coreani e altri trafficanti del giro. Gli avvocati delle multinazionali chiedevano un risarcimento. Giustizia. Il capitano delle SS Erich Priebke, condannato all'ergastolo per la strage delle Fosse Ardeatine, aveva citato per diffamazione i parenti delle vittime, offeso per essersi sentito dare del nazista. Giustizia. L'avvocato Ponce del Canavè aveva ottenuto in due giorni l'archiviazione in favore di Noè Alga-Croce. In base alle regole del c.d. giusto processo. Il dossier sui traffici della Swiss Bank for Life era andato distrutto. Gli unici testimoni erano morti.

Ponce aveva prodotto al Pm un interessante studio dell'Università di Columbus, nell'Ohio. Oggetto: le leggende metropolitane. Leggenda piú diffusa in America: un uomo, dopo aver trascorso una notte piccante con una sconosciuta incontrata al bar, si risveglia dentro una vasca da bagno piena di ghiaccio. A portata di mano ha un telefono a gettone e due gettoni (in alcune varianti, un apparecchio a scheda e una scheda). Un messaggio scritto sul muro recita: SE VUOI VIVERE CHIAMA LA POLIZIA. L'uomo chiama. La polizia arriva. E scopre che l'uomo ha due profonde cicatrici nella schiena. Piú tardi, in ospedale, si accorgono che qualcuno lo ha stordito e gli ha espiantato un rene.

Leggenda metropolitana. Una storiella: come quella (che ridere, che ridere!) del bambino nero ammazzato per trapiantare il cuore sull'amichetto bianco. Giustizia, Rod voleva farsi giustizia da sé. Fui io a farlo recedere dai propositi piú cruenti. Gli spiegai che lui e gli altri ragazzi erano mille volte migliori di quegli assassini in smoking. Che erano puri, in un mondo inverosimilmente sporco. Dovevano mantenere intatta questa purezza. Prepararsi per il momento non lontano in cui le cose sarebbero cambiate.

Mi diedero retta per affetto, si lasciarono convincere perché ero uno di loro. Ma io mi sentivo come Tex Willer quando persuade il capo Nuvola Rossa a sotterrare l'ascia di guerra perché «il grande padre bianco ha molte lunghe canne tonanti e le giacche azzurre sono numerose come le cavallette». E come Tex Willer, anch'io li stavo tradendo, anch'io li stavo avvicinando, mansueti, al massacro. Giustizia.

Il Consiglio dell'Ordine mi mandò assolto dopo che lo stesso Ponce ebbe ritirato la denuncia contro di me. Un regalo, mi fu fatto finemente capire, dovuto alle insistenze di Noè Alga-Croce. L'avvocato Mauro Arnese mi restituí la memoria difensiva che non era stata fortunatamente letta, felice di aver potuto salvare Chiamata di Correo, una balzana di tre che aveva impegnato in una scommessa sul mio destino. Giustizia. Il commissario Del Colle fu trasferito in Friuli Venezia Giulia, al confine con la Slovenia. Il suo rapporto sulla Swiss Bank for Life non era piaciuto in alto loco. Giustizia.

Schiacciata dai sensi di colpa nei miei confronti, mia madre preparava pranzi luculliani all'unico scopo di provocare un incontro con il suo spasimante, il ragioniere Vignanelli.

Il complesso Prattico aveva conosciuto l'onta dell'arresto dell'amministratore, sospetto di appropriazione indebita, falso in bilancio e furti di vario genere. Nel corso di un'infuocata assemblea condominiale, un proprietario molto legato all'ex amministratore in ceppi aveva proposto di stilare una mozione nella quale si denunciava l'ennesimo complotto dei giudici comunisti contro un onesto operatore economico.

Donna Vincenza, dopo avere scoperto di aver pagato sei volte la quota di ristrutturazione del lastrico solare, aveva minacciato di scaraventarlo giú dalla finestra del settimo piano. Cose apprese *de relato*, quando mi era stato proposto di occuparmi dell'amministrazione. Avevo rifiutato, ovviamente, aggiungendo un altro tassello al mosaico delle delusioni di Vincenza. Il fatto è che detesto i condomini. Li detesto almeno quanto i funerali e i matrimoni. A proposito di matrimoni: il 27 agosto ricevetti una bella busta con la signorile partecipazione di Giovanna e di Poggi. La cerimonia si sarebbe officiata il 14 ottobre nella chiesa del Gonfalone. Di suo pugno il vecchio Noè aveva annotato a margine: «Ancora oggi, in questo giorno, mi dico: che peccato!»

Che altro? Ah, sí, certo. Il ritorno di Vittoria. L'avventura con l'esecutivo di Mediaset era naufragata in una crisi etilica a due seguita dal goffo tentativo di trasporre in una mansarda trasteverina scenari da *Nove settimane e mezzo* che avevano indotto la mia ex segretaria a riproporsi come amica-amante-compagna. Ma dubitavo che ci sarebbe mai stata un'altra donna al mio fianco. Dubitavo che ci sarei stato ancora io.

Che altro? Ah, sí. Le multinazionali farmaceutiche rinunciarono all'azione contro il governo sudafricano. Troppo impopolare. Avrebbero trovato presto il modo di rifarsi, immaginavo.

Un settembre mite come l'anno che vuole morire

dolcemente nel *Piacere* di D'Annunzio me la riportò, musica gentile e scellerata, mentre a Trinità dei Monti accendevo un toscano originale con l'effigie del granduca Leopoldo II. Giovanna era circondata da un gruppetto di eleganti signore, ma quando mi vide si staccò dalle amiche e corse verso di me. Mi baciò delicatamente sulle guance: i suoi occhi dicevano molto piú di tutte le parole del mondo.

Mi voltai di scatto, cacciai le mani in tasca e mi allontanai verso la metropolitana di piazza di Spagna. Attraversai il buco nero del tunnel con la morte nel cuore, salii e scesi su e giú per le scale mobili, percorsi non so quante volte il tapis-roulant nell'uno e nell'altro senso. In una deviazione periferica m'imbattei in due musicisti di strada. Il ragazzo bianco suonava il sax, la ragazza nera danzava. Riconobbi l'antica canzone nubiana e istintivamente presi a battere le mani a ritmo. Il ragazzo annuí e soffiò piú forte nel suo strumento. La ragazza mi prese per mano e insieme ci mettemmo a cantare *Aggià salamè aggià salamè*...

Stampato per conto della Casa editrice Einaudi
presso Mondadori Printing S.p.A., Stabilimento N.S.M., Cles (Trento)

C.L. 17232

Edizione						Anno			
2	3	4	5	6	7	2006	2007	2008	2009